1·2급

응급구조사를 위한

임상실습 기록지

Clinical Practice For Emergency Medical Technician

저자 권선양, 이효주, 정은경, 황순중

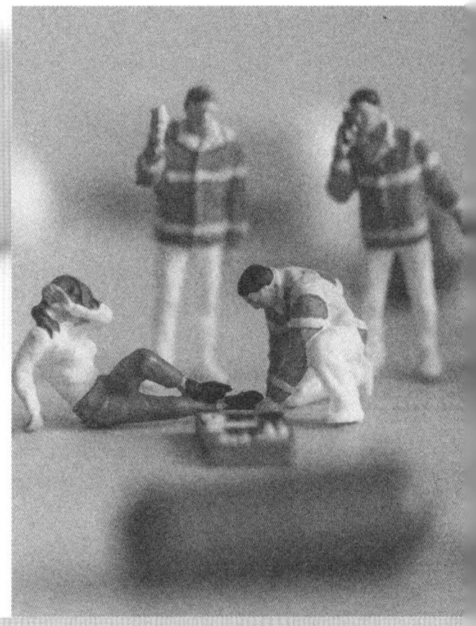

군자출판사

1·2급 응급구조사를 위한

임상실습기록지

첫째판 1쇄 인쇄 | 2014년 12월 22일
첫째판 1쇄 발행 | 2015년 1월 5일
둘째판 1쇄 인쇄 | 2018년 8월 9일
둘째판 1쇄 발행 | 2018년 8월 17일

지 은 이 권선양, 이효주, 정은경, 황순중
발 행 인 장주연
출 판 기 획 이성재
편집디자인 박은정
표지디자인 김재욱
일 러 스 트 일러스트부
발 행 처 군자출판사
등록 제 4-139호(1991. 6. 24)
본사 (110-717) 서울특별시 종로구 창경궁로 117(인의동) 동원빌딩 6층
전화 (02) 762-9194/5 팩스 (02) 764-0209
홈페이지 | www.koonja.co.kr

ISBN 97911-5955-343-1

정가 9,000원

저자 소개

+ **권선양** 강원소방본부 횡성소방서

+ **이효주** 선문대학교 응급구조학과

+ **정은경** 호남대학교 응급구조학과

+ **황순중** 해양경찰교육원 응급구조학과

CONTENTS

PART 1

PART 2

PART 3

1·2급 응급구조사를 위한

임상실습기록지

PART 01

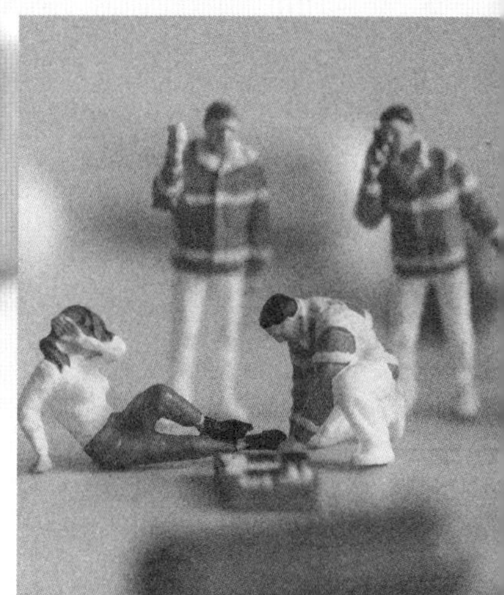

CHAPTER 01 응급구조사 선서

나는
응급구조사로서
그 역할로 책무를 다하기 위하여 기본 윤리를 갖추고
언제 어디서라도 응급의료를 시행 가능하도록
전문기술을 습득하고 연마 정진하는데
게을리 하지 않을 것을 선서합니다.

나는
어떠한 갑작스런 질병이나 사고현장에서라도
나의 의학적 한계를 알고
자신감과 침착함을 가지고 직무에 임할 것이며
끊임없는 자아훈련을 통해 감정을 조절하고
책임있는 통솔력과
최선의 응급처치를 시행할 수 있는 도덕적 책임감을 갖고
손상으로 고통받는 응급환자의 생명보호와
그의 고통을 경감시키고
합병증이 발생하지 않도록
최선의 응급처치를 시행할 것입니다.

나는 또한
직무상 알게 된 모든 이의 비밀을 절대 누설하거나 공개하지 않을 것이며
의학적 위급의 정도를 제외한 어떤 이유로라도
응급환자를 차별하지 않겠습니다.

나는
응급구조사로서 부여받은
상담과 구조, 이송의 임무를 명심하고
어떠한 응급의료를 요청받거나 응급의료 환자를 발견하더라도
선한 사마리아인으로서 즉시 응할 것이며
이유 없이 피하거나 중단하지 않을 것을
여러분과 하나님 앞에서 선사합니다.

CHAPTER 02 서약서

서 약 서

소 속
성 명
생년월일
주 소

본인은 20 년 월 일부터 월 일까지 실시되는 응급의료센터 및 119 구급차 동승 실습 중에 실습기관의 규칙을 이행하며 실습 지도자의 지도를 성실하게 수행하겠습니다. 실습기간 중 발생될 수 있는 감염 및 안전사고에 대해 주의하겠으며 본인 과실로 인한 사고에는 책임을 질 것을 서약합니다.

20 년 월 일

실 습 생 (인)

서 약 서

소 속
성 명
생년월일
주 소

본인은 20 년 월 일부터 월 일까지 실시되는 응급의료센터 및 119 구급차 동승 실습 중에 실습기관의 규칙을 이행하며 실습 지도자의 지도를 성실하게 수행하겠습니다. 실습기간 중 발생될 수 있는 감염 및 안전사고에 대해 주의하겠으며 본인 과실로 인한 사고에는 책임을 질 것을 서약합니다.

20 년 월 일

실 습 생 (인)

서 약 서

소　　속
성　　명
생년월일
주　　소

본인은 20　년　　월　일부터　　월　일까지 실시되는 응급의료센터 및 119 구급차 동승 실습 중에 실습기관의 규칙을 이행하며 실습 지도자의 지도를 성실하게 수행하겠습니다. 실습기간 중 발생될 수 있는 감염 및 안전사고에 대해 주의하겠으며 본인 과실로 인한 사고에는 책임을 질 것을 서약합니다.

20　년　월　일

실 습 생　　　　　(인)

CHAPTER 03 응급의료센터 실습평가표(1차)

실습 기간	년 월 일부터 년 월 일까지	사진
실습 기관		
소 속		
성 명		

평가표		점수		
		10점	5점	1점
1. 태도 (40점)	실습기간 중 지각, 결석, 무단이탈을 시행하였는가?			
	실습 복장 및 태도가 적절하였는가?			
	실습기간 중 적극적인 태도로 임하였는가?			
	실습기간 중 언행을 조심하였는가?			
2. 지식 (40점)	응급환자평가에 대한 내용을 알고 있는가?			
	응급환자에 대한 중증도 분류를 시행할 수 있는가?			
	응급의료센터 내 의료장비를 활용할 수 있는가?			
	응급처치에 대한 지식을 알고 있는가?			
3. 협동 (20점)	의료진과 원만한 관계가 유지되었는가?			
	실습생 상호간에 협동하였는가?			
응급의료센터 실습 이수 시간		총 점(100점) 점		
총 실습시간	시간	평가자 (인)		

CHAPTER 04 응급의료센터 실습평가표(2차)

실습 기간	년 월 일부터 년 월 일까지	사진
실습 기관		
소 속		
성 명		

평가표		점수		
		10점	5점	1점
1. 태도 (40점)	실습기간 중 지각, 결석, 무단이탈을 시행하였는가?			
	실습 복장 및 태도가 적절하였는가?			
	실습기간 중 적극적인 태도로 임하였는가?			
	실습기간 중 언행을 조심하였는가?			
2. 지식 (40점)	응급환자평가에 대한 내용을 알고 있는가?			
	응급환자에 대한 중증도 분류를 시행할 수 있는가?			
	응급의료센터 내 의료장비를 활용할 수 있는가?			
	응급처치에 대한 지식을 알고 있는가?			
3. 협동 (20점)	의료진과 원만한 관계가 유지되었는가?			
	실습생 상호간에 협동하였는가?			

응급의료센터 실습 이수 시간		총 점(100점) 점
총 실습시간	시간	평가자 (인)

CHAPTER 05 119구급차 동승 실습 평가표

실습 기간	년 월 일부터 년 월 일까지		사진
실습 기관			
소 속			
성 명			

평가표		점수		
		10점	5점	1점
1. 태도 (40점)	실습기간 중 지각, 결석, 무단이탈을 시행하였는가?			
	실습 복장 및 태도가 적절하였는가?			
	실습기간 중 적극적인 태도로 임하였는가?			
	실습기간 중 언행을 조심하였는가?			
2. 지식 (40점)	유무선 통신방법에 대한 내용을 알고 있는가?			
	상황실과 소통하는 방법을 알고 있는가?			
	구급차 내 응급처치 장비를 활용할 수 있는가?			
	의료지도 하는 방법을 알고 있는가?			
3. 협동 (20점)	구급대원과 원만한 관계가 유지되었는가?			
	실습생 상호간에 협동하였는가?			
119 구급차 동승 실습 이수 시간		총 점(100점) 점		
총 실습시간	**시간**	평가자 (인)		

1·2급 응급구조사를 위한

임상실습기록지

PART 02

실습 교육의 목표 및 목적
응급의료센터 임상실습 일지 작성 방법
응급의료센터 임상실습(1차)
응급의료센터 임상실습(2차)
응급의료센터 경험기록표(1차)
응급의료센터 경험기록표(2차)
응급의료센터 검사
구급활동일지 작성 방법
심폐정지환자 응급처치 세부상황표 작성요령
구급활동 임상 기록
119구급활동 경험기록표
응급의료장비 사용법

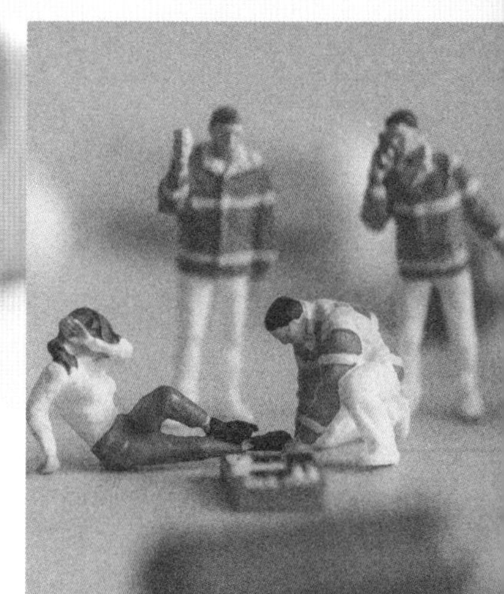

CHAPTER 01 실습 교육의 목표 및 목적

응급구조사는 응급환자가 발생한 현장과 병원 내에서 응급환자의 생명유지를 위하여 상담. 구조. 이송 업무를 수행한다. 따라서 응급구조사는 응급처치에 필요한 의료장비의 활용법, 무선통신 장비 활용법, 구급의약품 관리 운용과 응급환자 이송. 처치에 필요한 사항을 정확하게 숙지해야 한다.

실습 교육을 통하여 실제 현장과 병원 내에서 이루어진 관찰과 경험이 미래의 응급구조사의 자질과 응급처치 능력을 향상을 도모한다.

본 실습 교육은 다음과 같은 실습 목표를 갖는다.

1) 현장안전을 확인하는 방법을 습득한다.
2) 감염방지방법을 습득한다.
3) 내과환자 평가방법을 습득한다.
4) 외상환자 평가방법을 습득한다.
5) 응급처치에 필요한 의료장비 활용법을 습득한다.
6) 주 호소에 따른 응급처치 방법을 습득한다.
7) 무선통신 활용법과 의료지도 요청방법을 습득한다.
8) 특수한 보고서가 필요한 상황을 중재하는 방법을 습득한다.
9) 응급환자 이송하는 방법을 습득한다.
10) 병원 의료진과 소통하는 방법을 습득한다.

CHAPTER 02 응급의료센터 임상실습 일지 작성 방법

1. 환자 정보

응급의료센터 도착 시간 20 년 월 일 시 분	
발병일시(onset)	
환자 정보	**주 증상(Chief Complaint)**
성명 등록번호 성별/나이 키/체중	**현병력(Present illness)**

2. 주 증상(Chief Complaint), 발병일시(Onset), 현병력(Present illness)

응급의료센터 도착 시간 20 년 월 일 시 분	
발병일시(Onset)	
환자 정보	**주 증상(Chief Complaint)**
성명 성별/나이 키/체중	**현병력(Present illness)**

① **주 증상**(Chief Complaint)

주 증상은 환자가 응급의료센터에 내원하게 된 이유로 주된 증상 한 가지를 적도록 한다. 환자의 표현이 길 경우 요약해서 기록할 수 있으며, 환자의 표현이 애매한 경우에는 그대로 기록한다.

② **발병일시**(Onset)

증상이 시작된 시간을 기록한다. 응급의료센터에 내원한 시간을 기준으로 계산해 기록할 수도 있다(예: 내원 30분 전).

③ **현병력**(Present illness)

현재의 증상이 언제, 어떻게, 어디서, 무엇을 하다 지금의 상태에 이르렀는지 서술형식으로 기록한다. 주 증상과 관련된 질문들을 통해 발병 형태, 외상과의 관계 등을 문진할 수 있고 이를 자세하고 정확하게 기록해둔다.

3. 내원사유 및 내원수단

내원사유	
질병여부	□질병 □질병 외 □미상
질병 외 선택항목	□교통사고 ○ 보행자 ○ 운전자 ○ 승객 ○ 오토바이 ○ 미상 □폭행 □질식/목맴 □화상(　　　%) □추락(높이:　　　) □중독(종류:　　양:　　) □기타(　　　　)
내원수단	□도보 □승용차 □택시 □119구급차 □129 환자 이송단 □경찰차 □타병원구급차 □기타(　　)

초기상태	
의식수준	□A □V □P □U
활력징후	
혈압(BP)	/ mmHg
맥박(PR)	회/분
호흡(RR)	회/분
체온(BT)	℃
SpO_2	%
BST	mg/dl

Glasgrow Coma Scale	
Eye Opening	
Spontaneous	4
To Voice	3
To Pain	2
None	1
Verbal response	
Oriented	5
Confused	4
Inappropriate worlds	3
Incomprehensive words	2
Motor response	
Obey command	6
Purposeful movements	5
Withdraw	4
Flexion	3
Extension	2
None	1
Total :	

① 내원 사유

환자유형에 따라 질병(손상에 의해 발생하지 않은 것), 질병 외, 미상 중 해당되는 것에 체크하며, 질병 외에 체크한 경우 손상의 원인을 파악하여 해당항목에 순서대로 체크한다. 화상 환자의 경우 화상 범위를, 추락 환자의 경우 추락한 높이를, 중독의 경우 노출된 물질의 종류와 양을 함께 기재하도록 한다.

② 내원 수단

응급의료센터에 내원할 당시 이용한 수단에 체크한다.

4. 초기상태

내원사유	
질병여부	□질병 □질병 외 □미상
질병 외 선택항목	□교통사고 ○ 보행자 ○ 운전자 ○ 승객 ○ 오토바이 ○ 미상 □폭행 □질식/목맴 □화상(　　　%) □추락(높이:　　　) □중독(종류:　　양:　　) □기타(　　　　)
내원수단	□도보 □승용차 □택시 □119구급차 □129 환자 이송단 □경찰차 □타병원구급차 □기타(　　)

초기상태	
의식수준	□A □V □P □U
활력징후	
혈압(BP)	/ mmHg
맥박(PR)	회/분
호흡(RR)	회/분
체온(BT)	℃
SpO_2	%
BST	mg/dl

Glasgrow Coma Scale	
Eye Opening	
Spontaneous	4
To Voice	3
To Pain	2
None	1
Verbal response	
Oriented	5
Confused	4
Inappropriate worlds	3
Incomprehensive words	2
Motor response	
Obey command	6
Purposeful movements	5
Withdraw	4
Flexion	3
Extension	2
None	1
Total :	

환자가 응급의료센터에 내원할 당시의 의식수준 및 활력징후를 기록한다. 의식수준은 AVPU 분류법과 GCS를 활용하여 체크하며, 활력징후에는 산소포화도(SpO_2)와 혈당(BST) 수치를 포함하여 기록한다.

① AVPU

A (Alert, 명료한 상태로 시간과, 장소, 사람에 대한 인지가 정확하다.), V (Verbal, 말소리에 반응한다.), P (Pain, 통증을 주었을 때 반응한다.), U (Unresponse, 반응이 전혀 없다.)

② GCS (Glasgow coma scale)

뇌손상이 의심되는 환자의 신경학적 평가를 간편하게 하기 위한 방법으로 통증이나 명령에 개안, 운동, 언어 반응이 정상적으로 이루어지는지 확인한다. 세 개의 영역에서 평가된 점수를 합산하여 환자의 신경학적 장애 정도를 평가 할 수 있다(중증〈9점, 중증도 9~12점, 경증≥13).

구분	환자의 반응	점수
개안반응	자발적으로 눈을 뜬다.	4
	큰 소리로 눈을 뜨라고 하면 뜬다.	3
	통증을 주면 눈을 뜬다.	2
	눈을 뜨지 않는다.	1
운동반응	간단한 지시에 따라 움직인다.	6
	통증을 피하려는 방어적인 자세를 취한다.	5
	통증을 주면 그 부위를 움추린다.	4
	제피질 강직자세(이상 굴절 반응)를 취한다.	3
	제뇌 강직자세(이상 신전 반응)를 취한다.	2
	운동 반응이 없다.	1
언어반응	질문에 정확히 답한다.	5
	질문에 대답하지만 답변이 정확하지 않다.	4
	질문에 관계없는 말을 한다.	3
	알아들을 수 없는 소리(괴성)를 한다.	2
	아무런 소리도 내지 않는다.	1

5. 과거력(Past History), 가족력(Familial history), 사회력(Social history)

과거력	□Hypertension 고혈압 □DM 당뇨 □Hepatitis 간염 □Pulmonary Tbc 폐결핵 □Asthma 천식 □Allergy 알레르기 □Medication 투약 □Operation 수술 □Others	계통별 문진	□General weakness 전신쇠약 □Easy fatigability 이피로성 □Poor Oral intake 구강섭취부진 □Wt Ross 체중감소 □fever 발열 □Chill 오한 □Headache 두통 □Dizziness 어지러움 □Cough 기침 □Sputum 가래 □Dyspnea 호흡곤란 □Chest pain 흉통 □Palpitation 두근거림	□Hematemesis 혈변 □Anorexia 식욕부진 □Nausea 구역 □Vomiting 구토 □Constipation 변비 □Diarrhea 설사 □Abdominal pain 복통 □Melena 흑색변 □Dysuria 배뇨장애 □Oliguria 소변 감소증 □Hematuria 혈뇨 □Voiding Difficulty 배뇨곤란 □Back Pain 허리통증 □Flank Pain 옆구리통증
Familial history 가족력 Social history 사회력 Alcohol Smoking(갑*년)				

① **과거력(Past history)**

환자의 현재 건강상태에 대한 것으로 과거에 진단 받았거나 현재까지 치료 중인 병력 정보를 조사하여 체크한다. 여기에는 수술이나 입원 병력 등도 포함되며, allergy(알레르기)나 others(기타)에 해당하는 경우, 관련된 내용을 자세히 기록한다.

② **가족력(Familial history)**

가족(양친, 형제자매 등)이 유전적 질환을 가지고 있는지 등을 조사하여 기록한다.

③ **사회력(Social history)**

환자의 사회적 측면을 이해하기 위한 정보로 음주, 흡연여부, 국적 등에 관한 정보를 조사하여 기록한다.

6. 계통별 문진(ROS, Review of system)

과거력	□Hypertension 고혈압 □DM 당뇨 □Hepatitis 간염 □Pulmonary Tbc 폐결핵 □Asthma 천식 □Allergy 알레르기 □Medication 투약 □Operation 수술 □Others	계통별 문진	□General weakness 전신쇠약감 □Easy fatigability 이피로성 □Poor oral intake 경구섭취부진 □Wt loss 체중감소 □Fever 발열 □Chill 오한 □Headache 두통 □Dizziness 어지러움 □Cough 기침 □Sputum 가래 □Dyspnea 호흡곤란 □Chest pain 흉통 □Palpitation 두근거림	□Hematemesis 혈변 □Anorexia 식욕부진 □Nausea 구역 □Vomiting 구토 □Constipation 변비 □Diarrhea 설사 □Abdominal pain 복통 □Melena 흑색변 □Dysuria 배뇨통 □Oliguria 소변 감소증 □Hematuria 혈뇨 □Voiding Difficulty 배뇨곤란 □Back Pain 허리통증 □Flank Pain 옆구리통증
Familial history 가족력 Social history 사회력 Alcohol Smoking(갑*년)				

계통별 문진은 환자의 전체 모습을 보여주는 것으로 환자가 언급하지 않았던 문제들이나 그냥 넘어갔을지도 모르는 문제 등을 찾기 위해 시행한다.

- General weakness 근육의 힘이 없는 듯한 느낌으로 표현될 수 있으며, 피로나 의식이 없는 경우와는 구별해야 한다.
- Easy fatigability 피로란 지치고 에너지가 고갈된 듯한 느낌을 말한다. 활동 후에 회복되지 않고 기운 없는 상태가 비정상적으로 지속되는 상태를 뜻하기도 하며, 평소보다 쉽게 피로를 느끼거나 충분한 휴식 후에도 상당한 피로를 느끼는 경우 병적인 증상일 수 있다.
- Weight loss 몸무게가 감소한 상태를 말한다. 이유없이 발생한 6~12개월간 5~10%의 체중 감소는 의미있게 본다.
- Fever 체온이 상승한 상태를 말하며 측정한 부위에 따라 기준이 달라진다. 구강에서 체온을 측정한 경우 37.5도, 직장에서 측정한 경우 38.2도 이상이면 발열이 있다고 본다.
- Chill 오한은 보통 고열이 동반되어 나타난다. 단순히 추운 느낌뿐 아니라 실제 불수의적인 근육 수축을 보인다.
- Headache 머리가 아픈 것으로 환자에 따라 표현하는 방식이 다양할 수 있다.
- Dizziness 어지러움은 자신이나 주위 사물이 정지해 있음에도 불구하고 움직이는 듯한 느낌을 받는 모든 증상을 통칭하는 용어이다. 다양한 원인 질환이 있어 정확한 진단이 필요하다.
- Sputum 호흡기계(상기도~폐)의 여러 곳에서 나온 분비물이다.
- Dyspnea 숨쉬기가 어렵거나 고통스러운 상태를 말한다.
- Chest pain 가슴부위 통증을 모두 지칭한다. 다양한 원인에 의해 발생할 수 있으며 원인에 따라 중증도가 달라지고 경과도 다르다. 세심한 주의와 진단이 필요한 증상이다.
- Palpitation 심장의 박동이 빠르게 느껴지는 증상으로 규칙적이거나 불규칙적일 수 있다.
- Hematemesis 소화관 내에 출혈이 발생한 경우 혈액이 포함된 구토가 있을 수 있다. 소화관 중 십이지장 상부위 위장관 출혈을 암시하는 경우가 많다. 토혈의 경우 폐, 기관지 출혈과 관련된 객혈과 구분해야 한다.
- Anorexia 식욕이 떨어지거나 없어진 상태를 말한다.
- Nausea 구토에 앞서 목이나 앞가슴에 느끼는 메스거운 느낌을 말한다. 하지만 구토가 반드시 동반되는 것은 아니다.
- Constipation 배변을 볼 때 무리한 힘을 필요로 하거나 대변이 딱딱하게 굳은 경우 등을 말한다. 보통 3일에 1번 이하의 빈도로 대변을 보는 것을 말하기도 한다.
- Melena 상부 위장관 출혈이 있는 경우 자장면 소스나 타르처럼 검정색을 띠는 변을 보는 것을 말한다. 구토, 현기증, 어지러움, 창백, 쇠약감 등의 증상을 동반하는 경우가 많다.
- Dysuria 소변을 볼 때 아프다고 느끼는 것을 말하며, 대개 빈뇨(소변을 자주 봄), 급뇨(소변을 참지 못함)를 동반한다.
- Oliguria 핍뇨 혹은 무뇨라고 말하며 소변의 양이 500cc 미만으로 줄어들거나 전혀 없는 경우를 말한다.

• Hematuria 소변에 적혈구가 섞여 나오는 것으로 눈으로 색의 변화를 알아볼 수 있는 정도의 혈뇨와 현미경으로만 보이는 혈뇨로 구분된다.
• Voiding Difficulty 소변을 밖으로 배출하는 것이 어려운 경우를 말한다.

7. 신체검사(Physical examination)

신체검사

General appearance 전반적인 모습
Appearance ○Acute 급성 ○Chronic 만성 ○Not ill 아파보이지 않음
Mental status 의식 수준 ○Alert 명료 ○Drowsy 졸리운 ○Stupor 혼미 ○Semicoma 반혼수 ○Coma 혼수

HEENT: Pupil 동공 □Isocoria 양안동공동등
Conjunctiva 결막 □anemic 빈혈성 소견
Sclera 공막 □Icteric 황달

Chest: Breathing Sound (○Clear ○Coarse ○Wheezing ○Rale) on (Rt / Lt)
Heart Beat (○Regular ○Irregular)
Heart sound (○Clear ○Murmur)

Abdomen: Bowel Sound (○Active ○Hyperactive ○Hypoactive ○None)
Tenderness (○Direct 압통 ○Rebound 반동압통) at (Q)

Back and extremity: □CVA Tenderness (Rt○/ Lt○) 늑골척추각압통
□Pitting edema 오목부종

Neurologic examination: Pupil size (Rt mm/ Lt mm) □Facial Palsy 안면마비
PLR 동공 빛반사 (Rt○ / Lt○) □Doll's eye 두부 움직임에 대한 동공 반사
□Nystagmus 눈떨림

신체검사는 여러 가지 검사 기법과 장비들을 이용하여 환자의 활력징후 등을 포함한 객관적인 정보들을 평가하는 것이다. 흔히 시진, 촉진, 타진, 청진 등의 기법이 사용되며 머리부터 발끝까지 인체계통의 기능을 평가하게 된다.

Mental status의 5단계

① Alert 자발적으로 눈을 뜨고 사람, 장소, 사람에 대한 지각이 명료한 상태를 말한다.
② Drowsy 졸려 보이는 의식의 단계로 자극에 대한 반응이 느리고 불완전한 상태를 말하며 반응을 보기 위해서는 자극의 강도를 증가시켜야 한다.
③ Stupor 강한 통증에 반응하지만 엉뚱한 반응을 보이는 단계로 간단한 질문에 한 두 마디 단어로 대답할 수 있다.
④ Semicoma 통증에 의미 없는 반응을 보이며 자발적인 움직임은 거의 없는 상태이다. 제뇌강직, 제피질강직 자세를 보이기도 한다.
⑤ Coma 혼수상태로 모든 자극에 반응이 없는 죽은 것처럼 보이는 단계이다.

8. 기타

추정진단 (Impression)	1. 2. 3.				
타과협진 (Consult)	1	2	3	4	5
검사 및 결과					
치료 (Treatment)					
최종 진단명 (Diagnosis)					
진료결과	□Adx 입원 (○GW일반병실 ○ICU 중환자실) □D/C 정상퇴원 □Discharged AMA 자의퇴원 □Expire 사망 □Transfer 전원 □기타				
응급의료센터 퇴원 시간 20 년 월 일 시 분					

① **추정진단(임시진단)** 최종 진단명을 확정하기 전에 여러 가지 상황과 환자가 호소하는 증상과 징후를 토대로 임시 진단을 내리게 되는 것으로 치료와 검사의 흐름을 결정하게 된다.

② **타과협진** 진단과 치료를 위해 응급의학과 이외의 과(정형외과, 심장내과 등)에서 진료를 보게 된 경우, 해당 과 모두를 기록한다.

③ **검사** 및 결과 응급의료센터 내에서 진단과 치료에 필요하여 실시한 검사와 결과에 관한 내용을 기록한다.

④ **치료** 응급의료센터 내에서 행해진 모든 치료를 기록한다.

⑤ **최종진단명** 의사가 환자가 호소하는 증상과 신체소견, 각종 검사자료 등을 참고로 가장 적절하다고 생각되는 질병을 추정한 최종적 진단을 적게 된다.

⑥ **진료결과**

- Admission(Adx) 입원–General word(GW)/ Intensive care unit(ICU)
- Discharge(D/C) 정상퇴원
- Discharged Against Medical Advice(AMA) 자의 퇴원

9. 사례 연구

환자 사례와 관련하여 학습한 내용을 기록한다.

해당 사례 환자에게 행해진 치료 및 검사 등을 숙지하고, 질병에 대한 이해를 돕는 것으로 교과서 등을 참고하여 기록한다(예: 질병 혹은 손상의 발생기전, 증상 및 징후, 처치, 검사 등).

CHAPTER 03 응급의료센터 임상실습(1차)

응급의료센터 임상실습(1차)

1-1. 응급의료센터 임상기록지

응급의료센터 도착 시간 20 년 월 일 시 분	
발병일시(onset)	
환자 정보	**주 증상(Chief Complaint)**
성명 성별/나이 키/체중	**현병력(Present illness)**

내원사유		**초기상태**		**Glasgrow Coma Scale**	
질병여부	□질병 □질병 외 □미상	의식수준	□A □V □P □U	**Eye Opening**	
				Spontaneous	4
				To Voice	3
				To Pain	2
				None	1
질병 외 선택항목	□교통사고 ○보행자 ○운전자 ○승객 ○오토바이 ○미상 □폭행 □질식/목맴 □화상(%) □추락(높이:) □중독(종류: 양:) □기타( )	활력징후 혈압(BP) 맥박(PR) 호흡(RR) 체온(BT) SpO2 BST	 / mmHg 회/분 회/분 ℃ % mg/dl	**Verbal response**	
				Oriented	5
				Confused	4
				Inappropriate worlds	3
				Incomprehensive words	2
				Motor response	
				Obey command	6
				Purposeful movements	5
				Withdraw	4
				Flexion	3
내원수단	□도보 □승용차 □택시 □119구급차 □129 환자 이송단 □경찰차 □타병원구급차 □기타( )			Extension	2
				None	1
				Total	

과거력		**계통별 문진**	
□Hypertension 고혈압 □DM 당뇨 □Hepatitis 간염 □Pulmonary Tbc 폐결핵 □Asthma 천식 □Allergy 알레르기 □Medication 투약 □Operation 수술 □Others		□General weakness 전신쇠약 □Easy fatigability 이피로성 □Poor Oral intake 구강섭취부진 □Wt Ross 체중감소 □fever 발열 □Chill 오한 □Headache 두통 □Dizziness 어지러움 □Cough 기침 □Sputum 가래 □Dyspnea 호흡곤란 □Chest pain 흉통 □Palpitation 두근거림	□Hematemesis 혈변 □Anorexia 식욕부진 □Nausea 구역 □Vomiting 구토 □Constipation 변비 □Diarrhea 설사 □Abdominal pain 복통 □Melena 흑색변 □Dysuria 배뇨장애 □Oliguria 소변 감소증 □Hematuria 혈뇨 □Voiding Difficulty 배뇨곤란 □Back Pain 허리통증 □Flank Pain 옆구리통증
Familial history 가족력 Social history 사회력 Alcohol Smoking(갑*년)			

신체검사

General appearance 전반적인 모습
- Appearance ○Acute 급성 ○Chronic 만성 ○Not ill 아파보이지 않음
- Mental status 의식 수준 ○Alert 명료 ○Drowsy 졸리운 ○Stupor 혼미 ○Semicoma 반혼수 ○Coma 혼수

HEENT Pupil 동공 □Isocoria 양안동공동등
- Conjunctiva 결막 □anemic 빈혈성 소견
- Sclera 공막 □Icteric 황달

Chest Breathing Sound (○Clear ○Coarse ○Wheezing ○Rale) on (Rt / Lt)
- Heart Beat (○Regular ○Irregular)
- Heart sound (○Clear ○Murmur)

Abdomen Bowel Sound (○Active ○Hyperactive ○Hypoactive ○None)
Tenderness (○Direct 압통 ○Rebound 반동압통) at (Q)

Back and extremity □CVA Tenderness (Rt ○/ Lt ○) 늑골척추각압통
- □Pitting edema 오목부종

Neurologic examination Pupil size (Rt mm/ Lt mm) □Facial Palsy 안면마비
- PLR 동공 빛반사 (Rt ○ / Lt ○) □Doll's eye 두부 움직임에 대한 동공 반사
- □Nystagmus 눈떨림

<table>
<tr><td>추정진단
(Impression)</td><td colspan="5">1.
2.
3.</td></tr>
<tr><td>타과협진
(consult)</td><td>1</td><td>2</td><td>3</td><td>4</td><td>5</td></tr>
<tr><td>검사 및 결과</td><td colspan="5"></td></tr>
<tr><td>치료
(Treatment)</td><td colspan="5"></td></tr>
<tr><td>최종 진단명
(Diagnosis)</td><td colspan="5"></td></tr>
<tr><td>진료결과</td><td colspan="5">□Adx 입원 (○GW일반병실 ○ICU 중환자실) □D/C 정상퇴원 □Discharged AMA 자의퇴원
□Expire 사망 □Transfer 전원 □기타</td></tr>
<tr><td colspan="6">응급의료센터 퇴원 시간 20 년 월 일 시 분</td></tr>
</table>

1-2. 사례 연구

환자 사례와 관련하여 학습한 내용을 기록한다.

2-1. 응급의료센터 임상기록지

응급의료센터 도착 시간 20 년 월 일 시 분	
발병일시(onset)	
환자 정보	**주 증상(Chief Complaint)**
성명 성별/나이 키/체중	**현병력(Present illness)**

내원사유		초기상태		Glasgrow Coma Scale
질병여부	□질병 □질병 외 □미상	의식수준	□A □V □P □U	**Eye Opening** Spontaneous 4 To Voice 3 To Pain 2 None 1 **Verbal response** Oriented 5 Confused 4 Inappropriate worlds 3 Incomprehensive words 2 **Motor response** Obey command 6 Purposeful movements 5 Withdraw 4 Flexion 3 Extension 2 None 1 **Total**
질병 외 선택항목	□교통사고 ○보행자 ○운전자 ○승객 ○오토바이 ○미상 □폭행 □질식/목맴 □화상(%) □추락(높이:) □중독(종류: 양:) □기타( )	활력징후 혈압(BP) 맥박(PR) 호흡(RR) 체온(BT) SpO_2 BST	 / mmHg 회/분 회/분 ℃ % mg/dl	
내원수단	□도보 □승용차 □택시 □119구급차 □129 환자 이송단 □경찰차 □타병원구급차 □기타( )			

과거력		계통별 문진		
	□Hypertension 고혈압 □DM 당뇨 □Hepatitis 간염 □Pulmonary Tbc 폐결핵 □Asthma 천식 □Allergy 알레르기 □Medication 투약 □Operation 수술 □Others		□General weakness 전신쇠약 □Easy fatigability 이피로성 □Poor Oral intake 구강섭취부진 □Wt Ross 체중감소 □fever 발열 □Chill 오한 □Headache 두통 □Dizziness 어지러움 □Cough 기침 □Sputum 가래 □Dyspnea 호흡곤란 □Chest pain 흉통 □Palpitation 두근거림	□Hematemesis 혈변 □Anorexia 식욕부진 □Nausea 구역 □Vomiting 구토 □Constipation 변비 □Diarrhea 설사 □Abdominal pain 복통 □Melena 흑색변 □Dysuria 배뇨장애 □Oliguria 소변 감소증 □Hematuria 혈뇨 □Voiding Difficulty 배뇨곤란 □Back Pain 허리통증 □Flank Pain 옆구리통증
Familial history 가족력 Social history 사회력 Alcohol Smoking(갑*년)				

신체검사

General appearance 전반적인 모습
Appearance ○Acute 급성 ○Chronic 만성 ○Not ill 아파보이지 않음
Mental status 의식 수준 ○Alert 명료 ○Drowsy 졸리운 ○Stupor 혼미 ○Semicoma 반혼수 ○Coma 혼수

HEENT Pupil 동공 □Isocoria 양안동공동등
Conjunctiva 결막 □anemic 빈혈성 소견
Sclera 공막 □Icteric 황달

Chest Breathing Sound (○Clear ○Coarse ○Wheezing ○Rale) on (Rt / Lt)
Heart Beat (○Regular ○Irregular)
Heart sound (○Clear ○Murmur)

Abdomen Bowel Sound (○Active ○Hyperactive ○Hypoactive ○None)
Tenderness (○Direct 압통 ○Rebound 반동압통) at (Q)

Back and extremity □CVA Tenderness (Rt ○/ Lt ○) 늑골척추각압통
□Pitting edema 오목부종

Neurologic examination Pupil size (Rt mm/ Lt mm) □Facial Palsy 안면마비
PLR 동공 빛반사 (Rt ○ / Lt ○) □Doll's eye 두부 움직임에 대한 동공 반사
□Nystagmus 눈떨림

추정진단 (Impression)	1. 2. 3.				
타과협진 (consult)	1	2	3	4	5
검사 및 결과					
치료 (Treatment)					
최종 진단명 (Diagnosis)					
진료결과	□Adx 입원 (○GW일반병실 ○ICU 중환자실) □D/C 정상퇴원 □Discharged AMA 자의퇴원 □Expire 사망 □Transfer 전원 □기타				

응급의료센터 퇴원 시간 20 년 월 일 시 분

2-2. 사례 연구

환자 사례와 관련하여 학습한 내용을 기록한다.

3-1. 응급의료센터 임상기록지

응급의료센터 도착 시간 20 년 월 일 시 분

발병일시(onset)

환자 정보	**주 증상(Chief Complaint)**
성명 성별/나이 키/체중	**현병력(Present illness)**

내원사유		**초기상태**		**Glasgrow Coma Scale**
질병여부	□질병 □질병 외 □미상	의식수준	□A □V □P □U	**Eye Opening** Spontaneous 4 To Voice 3 To Pain 2 None 1 **Verbal response** Oriented 5 Confused 4 Inappropriate worlds 3 Incomprehensive words 2 **Motor response** Obey command 6 Purposeful movements 5 Withdraw 4 Flexion 3 Extension 2 None 1 **Total**
질병 외 선택항목	□교통사고 ○보행자 ○운전자 ○승객 ○오토바이 ○미상 □폭행 □질식/목맴 □화상(%) □추락(높이:) □중독(종류: 양:) □기타( )	활력징후 혈압(BP) 맥박(PR) 호흡(RR) 체온(BT) SpO₂ BST	/ mmHg 회/분 회/분 ℃ % mg/dl	
내원수단	□도보 □승용차 □택시 □119구급차 □129 환자 이송단 □경찰차 □타병원구급차 □기타( )			

과거력	**계통별 문진**	
□Hypertension 고혈압 □DM 당뇨 □Hepatitis 간염 □Pulmonary Tbc 폐결핵 □Asthma 천식 □Allergy 알레르기 □Medication 투약 □Operation 수술 □Others	□General weakness 전신쇠약 □Easy fatigability 이피로성 □Poor Oral intake 구강섭취부진 □Wt Ross 체중감소 □fever 발열 □Chill 오한 □Headache 두통 □Dizziness 어지러움 □Cough 기침 □Sputum 가래 □Dyspnea 호흡곤란 □Chest pain 흉통 □Palpitation 두근거림	□Hematemesis 혈변 □Anorexia 식욕부진 □Nausea 구역 □Vomiting 구토 □Constipation 변비 □Diarrhea 설사 □Abdominal pain 복통 □Melena 흑색변 □Dysuria 배뇨장애 □Oliguria 소변 감소증 □Hematuria 혈뇨 □Voiding Difficulty 배뇨곤란 □Back Pain 허리통증 □Flank Pain 옆구리통증
Familial history 가족력 Social history 사회력 Alcohol Smoking(갑*년)		

신체검사

General appearance 전반적인 모습
- Appearance ○Acute 급성 ○Chronic 만성 ○Not ill 아파보이지 않음
- Mental status 의식 수준 ○Alert 명료 ○Drowsy 졸리운 ○Stupor 혼미 ○Semicoma 반혼수 ○Coma 혼수

HEENT Pupil 동공 □Isocoria 양안동공동등
- Conjunctiva 결막 □anemic 빈혈성 소견
- Sclera 공막 □Icteric 황달

Chest Breathing Sound (○Clear ○Coarse ○Wheezing ○Rale) on (Rt / Lt)
- Heart Beat (○Regular ○Irregular)
- Heart sound (○Clear ○Murmur)

Abdomen Bowel Sound (○Active ○Hyperactive ○Hypoactive ○None)
Tenderness (○Direct 압통 ○Rebound 반동압통) at (Q)

Back and extremity □CVA Tenderness (Rt ○/ Lt ○) 늑골척추각압통
□Pitting edema 오목부종

Neurologic examination Pupil size (Rt mm/ Lt mm) □Facial Palsy 안면마비
PLR 동공 빛반사 (Rt ○ / Lt ○) □Doll's eye 두부 움직임에 대한 동공 반사
□Nystagmus 눈떨림

추정진단 (Impression)	1. 2. 3.				
타과협진 (consult)	1	2	3	4	5
검사 및 결과					
치료 (Treatment)					
최종 진단명 (Diagnosis)					
진료결과	□Adx 입원 (○GW일반병실 ○ICU 중환자실) □D/C 정상퇴원 □Discharged AMA 자의퇴원 □Expire 사망 □Transfer 전원 □기타				
응급의료센터 퇴원 시간 20 년 월 일 시 분					

3-2. 사례 연구

환자 사례와 관련하여 학습한 내용을 기록한다.

4-1. 응급의료센터 임상기록지

응급의료센터 도착 시간 20 년 월 일 시 분

발병일시(onset)

환자 정보	**주 증상(Chief Complaint)**
성명 성별/나이 키/체중	**현병력(Present illness)**

내원사유		**초기상태**		**Glasgrow Coma Scale**
질병여부	□질병 □질병 외 □미상	의식수준	□A □V □P □U	**Eye Opening** Spontaneous 4 To Voice 3 To Pain 2 None 1 **Verbal response** Oriented 5 Confused 4 Inappropriate worlds 3 Incomprehensive words 2 **Motor response** Obey command 6 Purposeful movements 5 Withdraw 4 Flexion 3 Extension 2 None 1 **Total**
질병 외 선택항목	□교통사고 ○보행자 ○운전자 ○승객 ○오토바이 ○미상 □폭행 □질식/목맴 □화상(%) □추락(높이:) □중독(종류: 양:) □기타( )	활력징후 혈압(BP) 맥박(PR) 호흡(RR) 체온(BT) SpO_2 BST	 / mmHg 회/분 회/분 ℃ % mg/dl	
내원수단	□도보 □승용차 □택시 □119구급차 □129 환자 이송단 □경찰차 □타병원구급차 □기타( )			

과거력	**계통별 문진**	
□Hypertension 고혈압 □DM 당뇨 □Hepatitis 간염 □Pulmonary Tbc 폐결핵 □Asthma 천식 □Allergy 알레르기 □Medication 투약 □Operation 수술 □Others	□General weakness 전신쇠약 □Easy fatigability 이피로성 □Poor Oral intake 구강섭취부진 □Wt Ross 체중감소 □fever 발열 □Chill 오한 □Headache 두통 □Dizziness 어지러움 □Cough 기침 □Sputum 가래 □Dyspnea 호흡곤란 □Chest pain 흉통 □Palpitation 두근거림	□Hematemesis 혈변 □Anorexia 식욕부진 □Nausea 구역 □Vomiting 구토 □Constipation 변비 □Diarrhea 설사 □Abdominal pain 복통 □Melena 흑색변 □Dysuria 배뇨장애 □Oliguria 소변 감소증 □Hematuria 혈뇨 □Voiding Difficulty 배뇨곤란 □Back Pain 허리통증 □Flank Pain 옆구리통증
Familial history 가족력 Social history 사회력 Alcohol Smoking(갑*년)		

신체검사

General appearance 전반적인 모습
- Appearance ○Acute 급성 ○Chronic 만성 ○Not ill 아파보이지 않음
- Mental status 의식 수준 ○Alert 명료 ○Drowsy 졸리운 ○Stupor 혼미 ○Semicoma 반혼수 ○Coma 혼수

HEENT Pupil 동공 □Isocoria 양안동공동등
- Conjunctiva 결막 □anemic 빈혈성 소견
- Sclera 공막 □Icteric 황달

Chest Breathing Sound (○Clear ○Coarse ○Wheezing ○Rale) on (Rt / Lt)
- Heart Beat (○Regular ○Irregular)
- Heart sound (○Clear ○Murmur)

Abdomen Bowel Sound (○Active ○Hyperactive ○Hypoactive ○None)
Tenderness (○Direct 압통 ○Rebound 반동압통) at (Q)

Back and extremity □CVA Tenderness (Rt ○/ Lt ○) 늑골척추각압통
□Pitting edema 오목부종

Neurologic examination Pupil size (Rt mm/ Lt mm) □Facial Palsy 안면마비
PLR 동공 빛반사 (Rt ○ / Lt ○) □Doll's eye 두부 움직임에 대한 동공 반사
□Nystagmus 눈떨림

추정진단 (Impression)	1. 2. 3.			
타과협진 (consult)	1	2	3	4	5
검사 및 결과					
치료 (Treatment)					
최종 진단명 (Diagnosis)					
진료결과	□Adx 입원 (○GW일반병실 ○ICU 중환자실) □D/C 정상퇴원 □Discharged AMA 자의퇴원 □Expire 사망 □Transfer 전원 □기타				
응급의료센터 퇴원 시간 20 년 월 일 시 분					

4-2. 사례 연구

환자 사례와 관련하여 학습한 내용을 기록한다.

5-1. 응급의료센터 임상기록지

응급의료센터 도착 시간 20 년 월 일 시 분

발병일시(onset)

환자 정보	**주 증상(Chief Complaint)**
성명 성별/나이 키/체중	**현병력(Present illness)**

내원사유		**초기상태**		**Glasgrow Coma Scale**
질병여부	□질병 □질병 외 □미상	의식수준	□A □V □P □U	**Eye Opening** Spontaneous 4 To Voice 3 To Pain 2 None 1 **Verbal response** Oriented 5 Confused 4 Inappropriate worlds 3 Incomprehensive words 2 **Motor response** Obey command 6 Purposeful movements 5 Withdraw 4 Flexion 3 Extension 2 None 1 **Total**
질병 외 선택항목	□교통사고 ○보행자 ○운전자 ○승객 ○오토바이 ○미상 □폭행 □질식/목맴 □화상(%) □추락(높이:) □중독(종류: 양:) □기타( )	활력징후 혈압(BP) 맥박(PR) 호흡(RR) 체온(BT) SpO_2 BST	 / mmHg 회/분 회/분 ℃ % mg/dl	
내원수단	□도보 □승용차 □택시 □119구급차 □129 환자 이송단 □경찰차 □타병원구급차 □기타( )			

과거력		계통별문진		
	□Hypertension 고혈압 □DM 당뇨 □Hepatitis 간염 □Pulmonary Tbc 폐결핵 □Asthma 천식 □Allergy 알레르기 □Medication 투약 □Operation 수술 □Others		□General weakness 전신쇠약 □Easy fatigability 이피로성 □Poor Oral intake 구강섭취부진 □Wt Ross 체중감소 □fever 발열 □Chill 오한 □Headache 두통 □Dizziness 어지러움 □Cough 기침 □Sputum 가래 □Dyspnea 호흡곤란 □Chest pain 흉통 □Palpitation 두근거림	□Hematemesis 혈변 □Anorexia 식욕부진 □Nausea 구역 □Vomiting 구토 □Constipation 변비 □Diarrhea 설사 □Abdominal pain 복통 □Melena 흑색변 □Dysuria 배뇨장애 □Oliguria 소변 감소증 □Hematuria 혈뇨 □Voiding Difficulty 배뇨곤란 □Back Pain 허리통증 □Flank Pain 옆구리통증
Familial history 가족력 Social history 사회력 Alcohol Smoking(갑*년)				

신체검사

General appearance 전반적인 모습
- Appearance ○Acute 급성 ○Chronic 만성 ○Not ill 아파보이지 않음
- Mental status 의식 수준 ○Alert 명료 ○Drowsy 졸리운 ○Stupor 혼미 ○Semicoma 반혼수 ○Coma 혼수

HEENT Pupil 동공 □Isocoria 양안동공동등
- Conjunctiva 결막 □anemic 빈혈성 소견
- Sclera 공막 □Icteric 황달

Chest Breathing Sound (○Clear ○Coarse ○Wheezing ○Rale) on (Rt / Lt)
- Heart Beat (○Regular ○Irregular)
- Heart sound (○Clear ○Murmur)

Abdomen Bowel Sound (○Active ○Hyperactive ○Hypoactive ○None)
Tenderness (○Direct 압통 ○Rebound 반동압통) at (Q)

Back and extremity □CVA Tenderness (Rt ○/ Lt ○) 늑골척추각압통
□Pitting edema 오목부종

Neurologic examination Pupil size (Rt mm/ Lt mm) □Facial Palsy 안면마비
PLR 동공 빛반사 (Rt ○ / Lt ○) □Doll's eye 두부 움직임에 대한 동공 반사
□Nystagmus 눈떨림

추정진단 (Impression)	1. 2. 3.				
타과협진 (consult)	1	2	3	4	5
검사 및 결과					
치료 (Treatment)					
최종 진단명 (Diagnosis)					
진료결과	□Adx 입원 (○GW일반병실 ○ICU 중환자실) □D/C 정상퇴원 □Discharged AMA 자의퇴원 □Expire 사망 □Transfer 전원 □기타				
응급의료센터 퇴원 시간	20 년 월 일 시 분				

5-2. 사례 연구

환자 사례와 관련하여 학습한 내용을 기록한다.

6-1. 응급의료센터 임상기록지

응급의료센터 도착 시간 20 년 월 일 시 분	
발병일시(onset)	
환자 정보	**주 증상(Chief Complaint)**
성명 성별/나이 키/체중	**현병력(Present illness)**

내원사유		초기상태		Glasgrow Coma Scale
질병여부	□질병 □질병 외 □미상	의식수준	□A □V □P □U	**Eye Opening** Spontaneous 4 To Voice 3 To Pain 2 None 1 **Verbal response** Oriented 5 Confused 4 Inappropriate worlds 3 Incomprehensive words 2 **Motor response** Obey command 6 Purposeful movements 5 Withdraw 4 Flexion 3 Extension 2 None 1 **Total**
질병 외 선택항목	□교통사고 ○보행자 ○운전자 ○승객 ○오토바이 ○미상 □폭행 □질식/목맴 □화상(%) □추락(높이:) □중독(종류: 양:) □기타( )	활력징후 혈압(BP) 맥박(PR) 호흡(RR) 체온(BT) SpO_2 BST	 / mmHg 회/분 회/분 ℃ % mg/dl	
내원수단	□도보 □승용차 □택시 □119구급차 □129 환자 이송단 □경찰차 □타병원구급차 □기타( )			

과거력		계통별 문진		
	□Hypertension 고혈압 □DM 당뇨 □Hepatitis 간염 □Pulmonary Tbc 폐결핵 □Asthma 천식 □Allergy 알레르기 □Medication 투약 □Operation 수술 □Others		□General weakness 전신쇠약 □Easy fatigability 이피로성 □Poor Oral intake 구강섭취부진 □Wt Ross 체중감소 □fever 발열 □Chill 오한 □Headache 두통 □Dizziness 어지러움 □Cough 기침 □Sputum 가래 □Dyspnea 호흡곤란 □Chest pain 흉통 □Palpitation 두근거림	□Hematemesis 혈변 □Anorexia 식욕부진 □Nausea 구역 □Vomiting 구토 □Constipation 변비 □Diarrhea 설사 □Abdominal pain 복통 □Melena 흑색변 □Dysuria 배뇨장애 □Oliguria 소변 감소증 □Hematuria 혈뇨 □Voiding Difficulty 배뇨곤란 □Back Pain 허리통증 □Flank Pain 옆구리통증
Familial history 가족력 Social history 사회력 Alcohol Smoking(갑*년)				

신체검사

General appearance 전반적인 모습
- Appearance ○Acute 급성 ○Chronic 만성 ○Not ill 아파보이지 않음
- Mental status 의식 수준 ○Alert 명료 ○Drowsy 졸리운 ○Stupor 혼미 ○Semicoma 반혼수 ○Coma 혼수

HEENT Pupil 동공 □Isocoria 양안동공동등
- Conjunctiva 결막 □anemic 빈혈성 소견
- Sclera 공막 □Icteric 황달

Chest Breathing Sound (○Clear ○Coarse ○Wheezing ○Rale) on (Rt / Lt)
- Heart Beat (○Regular ○Irregular)
- Heart sound (○Clear ○Murmur)

Abdomen Bowel Sound (○Active ○Hyperactive ○Hypoactive ○None)
Tenderness (○Direct 압통 ○Rebound 반동압통) at (Q)

Back and extremity □CVA Tenderness (Rt ○/ Lt ○) 늑골척추각압통
□Pitting edema 오목부종

Neurologic examination Pupil size (Rt mm/ Lt mm) □Facial Palsy 안면마비
PLR 동공 빛반사 (Rt ○ / Lt ○) □Doll's eye 두부 움직임에 대한 동공 반사
□Nystagmus 눈떨림

추정진단 (Impression)	1. 2. 3.				
타과협진 (consult)	1	2	3	4	5
검사 및 결과					
치료 (Treatment)					
최종 진단명 (Diagnosis)					
진료결과	□Adx 입원 (○GW일반병실 ○ICU 중환자실) □D/C 정상퇴원 □Discharged AMA 자의퇴원 □Expire 사망 □Transfer 전원 □기타				
응급의료센터 퇴원 시간 20 년 월 일 시 분					

6-2. 사례 연구

환자 사례와 관련하여 학습한 내용을 기록한다.

7-1. 응급의료센터 임상기록지

응급의료센터 도착 시간 20 년 월 일 시 분

발병일시(onset)

환자 정보	**주 증상(Chief Complaint)**
성명 성별/나이 키/체중	**현병력(Present illness)**

내원사유		**초기상태**		**Glasgrow Coma Scale**
질병여부	□질병 □질병 외 □미상	의식수준	□A □V □P □U	**Eye Opening** Spontaneous 4 To Voice 3 To Pain 2 None 1 **Verbal response** Oriented 5 Confused 4 Inappropriate worlds 3 Incomprehensive words 2 **Motor response** Obey command 6 Purposeful movements 5 Withdraw 4 Flexion 3 Extension 2 None 1 **Total**
질병 외 선택항목	□교통사고 ○보행자 ○운전자 ○승객 ○오토바이 ○미상 □폭행 □질식/목맴 □화상(%) □추락(높이:) □중독(종류: 양:) □기타( )	활력징후 혈압(BP) 맥박(PR) 호흡(RR) 체온(BT) SpO2 BST	 / mmHg 회/분 회/분 ℃ % mg/dl	
내원수단	□도보 □승용차 □택시 □119구급차 □129 환자 이송단 □경찰차 □타병원구급차 □기타( )			

과거력	**계통별 문진**	
□Hypertension 고혈압 □DM 당뇨 □Hepatitis 간염 □Pulmonary Tbc 폐결핵 □Asthma 천식 □Allergy 알레르기 □Medication 투약 □Operation 수술 □Others	□General weakness 전신쇠약 □Easy fatigability 이피로성 □Poor Oral intake 구강섭취부진 □Wt Ross 체중감소 □fever 발열 □Chill 오한 □Headache 두통 □Dizziness 어지러움 □Cough 기침 □Sputum 가래 □Dyspnea 호흡곤란 □Chest pain 흉통 □Palpitation 두근거림	□Hematemesis 혈변 □Anorexia 식욕부진 □Nausea 구역 □Vomiting 구토 □Constipation 변비 □Diarrhea 설사 □Abdominal pain 복통 □Melena 흑색변 □Dysuria 배뇨장애 □Oliguria 소변 감소증 □Hematuria 혈뇨 □Voiding Difficulty 배뇨곤란 □Back Pain 허리통증 □Flank Pain 옆구리통증
Familial history 가족력 Social history 사회력 Alcohol Smoking(갑*년)		

신체검사

General appearance 전반적인 모습
- Appearance ○Acute 급성 ○Chronic 만성 ○Not ill 아파보이지 않음
- Mental status 의식 수준 ○Alert 명료 ○Drowsy 졸리운 ○Stupor 혼미 ○Semicoma 반혼수 ○Coma 혼수

HEENT Pupil 동공 □Isocoria 양안동공동등
- Conjunctiva 결막 □anemic 빈혈성 소견
- Sclera 공막 □Icteric 황달

Chest Breathing Sound (○Clear ○Coarse ○Wheezing ○Rale) on (Rt / Lt)
- Heart Beat (○Regular ○Irregular)
- Heart sound (○Clear ○Murmur)

Abdomen Bowel Sound (○Active ○Hyperactive ○Hypoactive ○None)
Tenderness (○Direct 압통 ○Rebound 반동압통) at (Q)

Back and extremity □CVA Tenderness (Rt ○/ Lt ○) 늑골척추각압통
□Pitting edema 오목부종

Neurologic examination Pupil size (Rt mm/ Lt mm) □Facial Palsy 안면마비
PLR 동공 빛반사 (Rt ○ / Lt ○) □Doll's eye 두부 움직임에 대한 동공 반사
□Nystagmus 눈떨림

추정진단 (Impression)	1. 2. 3.				
타과협진 (consult)	1	2	3	4	5
검사 및 결과					
치료 (Treatment)					
최종 진단명 (Diagnosis)					
진료결과	□Adx 입원 (○GW일반병실 ○ICU 중환자실) □D/C 정상퇴원 □Discharged AMA 자의퇴원 □Expire 사망 □Transfer 전원 □기타				
응급의료센터 퇴원 시간 20 년 월 일 시 분					

7-2. 사례 연구

환자 사례와 관련하여 학습한 내용을 기록한다.

8-1. 응급의료센터 임상기록지

응급의료센터 도착 시간 20 년 월 일 시 분

발병일시(onset)

환자 정보	**주 증상(Chief Complaint)**
성명 성별/나이 키/체중	**현병력(Present illness)**

내원사유		**초기상태**		**Glasgrow Coma Scale**
질병여부	□질병 □질병 외 □미상	의식수준	□A □V □P □U	**Eye Opening** Spontaneous 4 To Voice 3 To Pain 2 None 1 **Verbal response** Oriented 5 Confused 4 Inappropriate worlds 3 Incomprehensive words 2 **Motor response** Obey command 6 Purposeful movements 5 Withdraw 4 Flexion 3 Extension 2 None 1 **Total**
질병 외 선택항목	□교통사고 ○보행자 ○운전자 ○승객 ○오토바이 ○미상 □폭행 □질식/목맴 □화상(%) □추락(높이:) □중독(종류: 양:) □기타( )	활력징후 혈압(BP) 맥박(PR) 호흡(RR) 체온(BT) SpO2 BST	 / mmHg 회/분 회/분 ℃ % mg/dl	
내원수단	□도보 □승용차 □택시 □119구급차 □129 환자 이송단 □경찰차 □타병원구급차 □기타( )			

과거력	**계통별 문진**	
□Hypertension 고혈압 □DM 당뇨 □Hepatitis 간염 □Pulmonary Tbc 폐결핵 □Asthma 천식 □Allergy 알레르기 □Medication 투약 □Operation 수술 □Others	□General weakness 전신쇠약 □Easy fatigability 이피로성 □Poor Oral intake 구강섭취부진 □Wt Ross 체중감소 □fever 발열 □Chill 오한 □Headache 두통 □Dizziness 어지러움 □Cough 기침 □Sputum 가래 □Dyspnea 호흡곤란 □Chest pain 흉통 □Palpitation 두근거림	□Hematemesis 혈변 □Anorexia 식욕부진 □Nausea 구역 □Vomiting 구토 □Constipation 변비 □Diarrhea 설사 □Abdominal pain 복통 □Melena 흑색변 □Dysuria 배뇨장애 □Oliguria 소변 감소증 □Hematuria 혈뇨 □Voiding Difficulty 배뇨곤란 □Back Pain 허리통증 □Flank Pain 옆구리통증
Familial history 가족력 Social history 사회력 Alcohol Smoking(갑*년)		

신체검사

General appearance 전반적인 모습
- Appearance ○Acute 급성 ○Chronic 만성 ○Not ill 아파보이지 않음
- Mental status 의식 수준 ○Alert 명료 ○Drowsy 졸리운 ○Stupor 혼미 ○Semicoma 반혼수 ○Coma 혼수

HEENT Pupil 동공 □Isocoria 양안동공동등
- Conjunctiva 결막 □anemic 빈혈성 소견
- Sclera 공막 □Icteric 황달

Chest Breathing Sound (○Clear ○Coarse ○Wheezing ○Rale) on (Rt / Lt)
- Heart Beat (○Regular ○Irregular)
- Heart sound (○Clear ○Murmur)

Abdomen Bowel Sound (○Active ○Hyperactive ○Hypoactive ○None)
Tenderness (○Direct 압통 ○Rebound 반동압통) at (Q)

Back and extremity □CVA Tenderness (Rt ○/ Lt ○) 늑골척추각압통
□Pitting edema 오목부종

Neurologic examination Pupil size (Rt mm/ Lt mm) □Facial Palsy 안면마비
PLR 동공 빛반사 (Rt ○ / Lt ○) □Doll's eye 두부 움직임에 대한 동공 반사
□Nystagmus 눈떨림

추정진단 (Impression)	1. 2. 3.				
타과협진 (consult)	1	2	3	4	5
검사 및 결과					
치료 (Treatment)					
최종 진단명 (Diagnosis)					
진료결과	□Adx 입원 (○GW일반병실 ○ICU 중환자실) □D/C 정상퇴원 □Discharged AMA 자의퇴원 □Expire 사망 □Transfer 전원 □기타				
응급의료센터 퇴원 시간 20 년 월 일 시 분					

8-2. 사례 연구

환자 사례와 관련하여 학습한 내용을 기록한다.

9-1. 응급의료센터 임상기록지

응급의료센터 도착 시간 20 년 월 일 시 분

발병일시(onset)

환자 정보	**주 증상(Chief Complaint)**
성명 성별/나이 키/체중	**현병력(Present illness)**

내원사유		**초기상태**		**Glasgrow Coma Scale**
질병여부	□질병 □질병 외 □미상	의식수준	□A □V □P □U	**Eye Opening** Spontaneous 4 To Voice 3 To Pain 2 None 1 **Verbal response** Oriented 5 Confused 4 Inappropriate worlds 3 Incomprehensive words 2 **Motor response** Obey command 6 Purposeful movements 5 Withdraw 4 Flexion 3 Extension 2 None 1 **Total**
질병 외 선택항목	□교통사고 ○보행자 ○운전자 ○승객 ○오토바이 ○미상 □폭행 □질식/목맴 □화상(%) □추락(높이:) □중독(종류: 양:) □기타( )	활력징후 혈압(BP) 맥박(PR) 호흡(RR) 체온(BT) SpO2 BST	 / mmHg 회/분 회/분 ℃ % mg/dl	
내원수단	□도보 □승용차 □택시 □119구급차 □129 환자 이송단 □경찰차 □타병원구급차 □기타( )			

과거력	**계통별 문진**	
□Hypertension 고혈압 □DM 당뇨 □Hepatitis 간염 □Pulmonary Tbc 폐결핵 □Asthma 천식 □Allergy 알레르기 □Medication 투약 □Operation 수술 □Others	□General weakness 전신쇠약 □Easy fatigability 이피로성 □Poor Oral intake 구강섭취부진 □Wt Ross 체중감소 □fever 발열 □Chill 오한 □Headache 두통 □Dizziness 어지러움 □Cough 기침 □Sputum 가래 □Dyspnea 호흡곤란 □Chest pain 흉통 □Palpitation 두근거림	□Hematemesis 혈변 □Anorexia 식욕부진 □Nausea 구역 □Vomiting 구토 □Constipation 변비 □Diarrhea 설사 □Abdominal pain 복통 □Melena 흑색변 □Dysuria 배뇨장애 □Oliguria 소변 감소증 □Hematuria 혈뇨 □Voiding Difficulty 배뇨곤란 □Back Pain 허리통증 □Flank Pain 옆구리통증
Familial history 가족력 Social history 사회력 Alcohol Smoking(갑*년)		

신체검사

General appearance 전반적인 모습
Appearance ○Acute 급성 ○Chronic 만성 ○Not ill 아파보이지 않음
Mental status 의식 수준 ○Alert 명료 ○Drowsy 졸리운 ○Stupor 혼미 ○Semicoma 반혼수 ○Coma 혼수

HEENT Pupil 동공 □Isocoria 양안동공동등
Conjunctiva 결막 □anemic 빈혈성 소견
Sclera 공막 □Icteric 황달

Chest Breathing Sound (○Clear ○Coarse ○Wheezing ○Rale) on (Rt / Lt)
Heart Beat (○Regular ○Irregular)
Heart sound (○Clear ○Murmur)

Abdomen Bowel Sound (○Active ○Hyperactive ○Hypoactive ○None)
Tenderness (○Direct 압통 ○Rebound 반동압통) at (Q)

Back and extremity □CVA Tenderness (Rt ○/ Lt ○) 늑골척추각압통
□Pitting edema 오목부종

Neurologic examination Pupil size (Rt mm/ Lt mm) □Facial Palsy 안면마비
PLR 동공 빛반사 (Rt ○ / Lt ○) □Doll's eye 두부 움직임에 대한 동공 반사
□Nystagmus 눈떨림

추정진단 (Impression)	1. 2. 3.				
타과협진 (consult)	1	2	3	4	5
검사 및 결과					
치료 (Treatment)					
최종 진단명 (Diagnosis)					
진료결과	□Adx 입원 (○GW일반병실 ○ICU 중환자실) □D/C 정상퇴원 □Discharged AMA 자의퇴원 □Expire 사망 □Transfer 전원 □기타				
응급의료센터 퇴원 시간 20 년 월 일 시 분					

9-2. 사례 연구

환자 사례와 관련하여 학습한 내용을 기록한다.

10-1. 응급의료센터 임상기록지

응급의료센터 도착 시간 20 년 월 일 시 분	
발병일시(onset)	
환자 정보	**주 증상(Chief Complaint)**
성명 성별/나이 키/체중	**현병력(Present illness)**

내원사유		**초기상태**		**Glasgrow Coma Scale**
질병여부	□질병 □질병 외 □미상	의식수준	□A □V □P □U	**Eye Opening** Spontaneous 4 To Voice 3 To Pain 2 None 1 **Verbal response** Oriented 5 Confused 4 Inappropriate worlds 3 Incomprehensive words 2 **Motor response** Obey command 6 Purposeful movements 5 Withdraw 4 Flexion 3 Extension 2 None 1 **Total**
질병 외 선택항목	□교통사고 ○보행자 ○운전자 ○승객 ○오토바이 ○미상 □폭행 □질식/목맴 □화상(%) □추락(높이:) □중독(종류: 양:) □기타( )	활력징후 혈압(BP) 맥박(PR) 호흡(RR) 체온(BT) SpO2 BST	 / mmHg 회/분 회/분 ℃ % mg/dl	
내원수단	□도보 □승용차 □택시 □119구급차 □129 환자 이송단 □경찰차 □타병원구급차 □기타( )			

과거력	**계통별문진**	
□Hypertension 고혈압 □DM 당뇨 □Hepatitis 간염 □Pulmonary Tbc 폐결핵 □Asthma 천식 □Allergy 알레르기 □Medication 투약 □Operation 수술 □Others	□General weakness 전신쇠약 □Easy fatigability 이피로성 □Poor Oral intake 구강섭취부진 □Wt Ross 체중감소 □fever 발열 □Chill 오한 □Headache 두통 □Dizziness 어지러움 □Cough 기침 □Sputum 가래 □Dyspnea 호흡곤란 □Chest pain 흉통 □Palpitation 두근거림	□Hematemesis 혈변 □Anorexia 식욕부진 □Nausea 구역 □Vomiting 구토 □Constipation 변비 □Diarrhea 설사 □Abdominal pain 복통 □Melena 흑색변 □Dysuria 배뇨장애 □Oliguria 소변 감소증 □Hematuria 혈뇨 □Voiding Difficulty 배뇨곤란 □Back Pain 허리통증 □Flank Pain 옆구리통증
Familial history 가족력 Social history 사회력 Alcohol Smoking(갑*년)		

신체검사

General appearance 전반적인 모습
Appearance ○Acute 급성 ○Chronic 만성 ○Not ill 아파보이지 않음
Mental status 의식 수준 ○Alert 명료 ○Drowsy 졸리운 ○Stupor 혼미 ○Semicoma 반혼수 ○Coma 혼수

HEENT Pupil 동공 □Isocoria 양안동공동등
Conjunctiva 결막 □anemic 빈혈성 소견
Sclera 공막 □Icteric 황달

Chest Breathing Sound (○Clear ○Coarse ○Wheezing ○Rale) on (Rt / Lt)
Heart Beat (○Regular ○Irregular)
Heart sound (○Clear ○Murmur)

Abdomen Bowel Sound (○Active ○Hyperactive ○Hypoactive ○None)
Tenderness (○Direct 압통 ○Rebound 반동압통) at (Q)

Back and extremity □CVA Tenderness (Rt ○/ Lt ○) 늑골척추각압통
□Pitting edema 오목부종

Neurologic examination Pupil size (Rt mm/ Lt mm) □Facial Palsy 안면마비
PLR 동공 빛반사 (Rt ○ / Lt ○) □Doll's eye 두부 움직임에 대한 동공 반사
□Nystagmus 눈떨림

추정진단 (Impression)	1. 2. 3.				
타과협진 (consult)	1	2	3	4	5
검사 및 결과					
치료 (Treatment)					
최종 진단명 (Diagnosis)					
진료결과	□Adx 입원 (○GW일반병실 ○ICU 중환자실) □D/C 정상퇴원 □Discharged AMA 자의퇴원 □Expire 사망 □Transfer 전원 □기타				

응급의료센터 퇴원 시간 20 년 월 일 시 분

10-2. 사례 연구

환자 사례와 관련하여 학습한 내용을 기록한다.

CHAPTER 04 응급의료센터 임상실습(2차)

응급의료센터 임상실습(2차)

1-1. 응급의료센터 임상기록지

응급의료센터 도착 시간 20 년 월 일 시 분	
발병일시(onset)	
환자 정보	**주 증상(Chief Complaint)**
성명 성별/나이 키/체중	**현병력(Present illness)**

내원사유		초기상태		Glasgrow Coma Scale
질병여부	□질병 □질병 외 □미상	의식수준	□A □V □P □U	**Eye Opening** Spontaneous 4 To Voice 3 To Pain 2 None 1 **Verbal response** Oriented 5 Confused 4 Inappropriate worlds 3 Incomprehensive words 2 **Motor response** Obey command 6 Purposeful movements 5 Withdraw 4 Flexion 3 Extension 2 None 1 **Total**
질병 외 선택항목	□교통사고 ○보행자 ○운전자 ○승객 ○오토바이 ○미상 □폭행 □질식/목맴 □화상(%) □추락(높이:) □중독(종류: 양:) □기타( )	활력징후 혈압(BP) 맥박(PR) 호흡(RR) 체온(BT) SpO_2 BST	 / mmHg 회/분 회/분 ℃ % mg/dl	
내원수단	□도보 □승용차 □택시 □119구급차 □129 환자 이송단 □경찰차 □타병원구급차 □기타( )			

과거력	계통별 문진	
□Hypertension 고혈압 □DM 당뇨 □Hepatitis 간염 □Pulmonary Tbc 폐결핵 □Asthma 천식 □Allergy 알레르기 □Medication 투약 □Operation 수술 □Others	□General weakness 전신쇠약 □Easy fatigability 이피로성 □Poor Oral intake 구강섭취부진 □Wt Ross 체중감소 □fever 발열 □Chill 오한 □Headache 두통 □Dizziness 어지러움 □Cough 기침 □Sputum 가래 □Dyspnea 호흡곤란 □Chest pain 흉통 □Palpitation 두근거림	□Hematemesis 혈변 □Anorexia 식욕부진 □Nausea 구역 □Vomiting 구토 □Constipation 변비 □Diarrhea 설사 □Abdominal pain 복통 □Melena 흑색변 □Dysuria 배뇨장애 □Oliguria 소변 감소증 □Hematuria 혈뇨 □Voiding Difficulty 배뇨곤란 □Back Pain 허리통증 □Flank Pain 옆구리통증
Familial history 가족력 Social history 사회력 Alcohol Smoking(갑*년)		

신체검사

General appearance 전반적인 모습
Appearance ○Acute 급성 ○Chronic 만성 ○Not ill 아파보이지 않음
Mental status 의식 수준 ○Alert 명료 ○Drowsy 졸리운 ○Stupor 혼미 ○Semicoma 반혼수 ○Coma 혼수

HEENT Pupil 동공 □Isocoria 양안동공동등
Conjunctiva 결막 □anemic 빈혈성 소견
Sclera 공막 □Icteric 황달

Chest Breathing Sound (○Clear ○Coarse ○Wheezing ○Rale) on (Rt / Lt)
Heart Beat (○Regular ○Irregular)
Heart sound (○Clear ○Murmur)

Abdomen Bowel Sound (○Active ○Hyperactive ○Hypoactive ○None)
Tenderness (○Direct 압통 ○Rebound 반동압통) at (Q)

Back and extremity □CVA Tenderness (Rt ○/ Lt ○) 늑골척추각압통
□Pitting edema 오목부종

Neurologic examination Pupil size (Rt mm/ Lt mm) □Facial Palsy 안면마비
PLR 동공 빛반사 (Rt ○ / Lt ○) □Doll's eye 두부 움직임에 대한 동공 반사
□Nystagmus 눈떨림

추정진단 (Impression)	1. 2. 3.				
타과협진 (consult)	1	2	3	4	5
검사 및 결과					
치료 (Treatment)					
최종 진단명 (Diagnosis)					
진료결과	□Adx 입원 (○GW일반병실 ○ICU 중환자실) □D/C 정상퇴원 □Discharged AMA 자의퇴원 □Expire 사망 □Transfer 전원 □기타				
응급의료센터 퇴원 시간 20 년 월 일 시 분					

1-2. 사례 연구

환자 사례와 관련하여 학습한 내용을 기록한다.

2-1. 응급의료센터 임상기록지

응급의료센터 도착 시간 20 년 월 일 시 분	
발병일시(onset)	
환자 정보	**주 증상(Chief Complaint)**
성명 성별/나이 키/체중	**현병력(Present illness)**

내원사유		초기상태		Glasgrow Coma Scale
질병여부	□질병 □질병 외 □미상	의식수준	□A □V □P □U	**Eye Opening** Spontaneous 4 To Voice 3 To Pain 2 None 1 **Verbal response** Oriented 5 Confused 4 Inappropriate worlds 3 Incomprehensive words 2 **Motor response** Obey command 6 Purposeful movements 5 Withdraw 4 Flexion 3 Extension 2 None 1 **Total**
질병 외 선택항목	□교통사고 ○보행자 ○운전자 ○승객 ○오토바이 ○미상 □폭행 □질식/목맴 □화상(%) □추락(높이:) □중독(종류: 양:) □기타( )	활력징후 혈압(BP) 맥박(PR) 호흡(RR) 체온(BT) SpO₂ BST	 / mmHg 회/분 회/분 ℃ % mg/dl	
내원수단	□도보 □승용차 □택시 □119구급차 □129 환자 이송단 □경찰차 □타병원구급차 □기타( )			

과거력		계통별 문진		
	□Hypertension 고혈압 □DM 당뇨 □Hepatitis 간염 □Pulmonary Tbc 폐결핵 □Asthma 천식 □Allergy 알레르기 □Medication 투약 □Operation 수술 □Others		□General weakness 전신쇠약 □Easy fatigability 이피로성 □Poor Oral intake 구강섭취부진 □Wt Ross 체중감소 □fever 발열 □Chill 오한 □Headache 두통 □Dizziness 어지러움 □Cough 기침 □Sputum 가래 □Dyspnea 호흡곤란 □Chest pain 흉통 □Palpitation 두근거림	□Hematemesis 혈변 □Anorexia 식욕부진 □Nausea 구역 □Vomiting 구토 □Constipation 변비 □Diarrhea 설사 □Abdominal pain 복통 □Melena 흑색변 □Dysuria 배뇨장애 □Oliguria 소변 감소증 □Hematuria 혈뇨 □Voiding Difficulty 배뇨곤란 □Back Pain 허리통증 □Flank Pain 옆구리통증
Familial history 가족력 Social history 사회력 Alcohol Smoking(갑*년)				

신체검사

General appearance 전반적인 모습
- Appearance ○Acute 급성 ○Chronic 만성 ○Not ill 아파보이지 않음
- Mental status 의식 수준 ○Alert 명료 ○Drowsy 졸리운 ○Stupor 혼미 ○Semicoma 반혼수 ○Coma 혼수

HEENT Pupil 동공 □Isocoria 양안동공동등
- Conjunctiva 결막 □anemic 빈혈성 소견
- Sclera 공막 □Icteric 황달

Chest Breathing Sound (○Clear ○Coarse ○Wheezing ○Rale) on (Rt / Lt)
- Heart Beat (○Regular ○Irregular)
- Heart sound (○Clear ○Murmur)

Abdomen Bowel Sound (○Active ○Hyperactive ○Hypoactive ○None)
Tenderness (○Direct 압통 ○Rebound 반동압통) at (Q)

Back and extremity □CVA Tenderness (Rt ○/ Lt ○) 늑골척추각압통
- □Pitting edema 오목부종

Neurologic examination Pupil size (Rt mm/ Lt mm) □Facial Palsy 안면마비
- PLR 동공 빛반사 (Rt ○ / Lt ○) □Doll's eye 두부 움직임에 대한 동공 반사
- □Nystagmus 눈떨림

<table>
<tr><td>추정진단
(Impression)</td><td colspan="5">1.
2.
3.</td></tr>
<tr><td>타과협진
(consult)</td><td>1</td><td>2</td><td>3</td><td>4</td><td>5</td></tr>
<tr><td>검사 및 결과</td><td colspan="5"></td></tr>
<tr><td>치료
(Treatment)</td><td colspan="5"></td></tr>
<tr><td>최종 진단명
(Diagnosis)</td><td colspan="5"></td></tr>
<tr><td>진료결과</td><td colspan="5">□Adx 입원 (○GW일반병실 ○ICU 중환자실) □D/C 정상퇴원 □Discharged AMA 자의퇴원
□Expire 사망 □Transfer 전원 □기타</td></tr>
<tr><td colspan="6">응급의료센터 퇴원 시간 20 년 월 일 시 분</td></tr>
</table>

2-2. 사례 연구

환자 사례와 관련하여 학습한 내용을 기록한다.

3-1. 응급의료센터 임상기록지

응급의료센터 도착 시간 20 년 월 일 시 분	
발병일시(onset)	
환자 정보	주 증상(Chief Complaint)
성명 성별/나이 키/체중	현병력(Present illness)

내원사유		초기상태		Glasgrow Coma Scale
질병여부	□질병 □질병 외 □미상	의식수준	□A □V □P □U	Eye Opening Spontaneous 4 To Voice 3 To Pain 2 None 1 Verbal response Oriented 5 Confused 4 Inappropriate worlds 3 Incomprehensive words 2 Motor response Obey command 6 Purposeful movements 5 Withdraw 4 Flexion 3 Extension 2 None 1 Total
질병 외 선택항목	□교통사고 ○보행자 ○운전자 ○승객 ○오토바이 ○미상 □폭행 □질식/목맴 □화상(%) □추락(높이:) □중독(종류: 양:) □기타( )	활력징후 혈압(BP) 맥박(PR) 호흡(RR) 체온(BT) SpO2 BST	/ mmHg 회/분 회/분 ℃ % mg/dl	
내원수단	□도보 □승용차 □택시 □119구급차 □129 환자 이송단 □경찰차 □타병원구급차 □기타( )			

과거력	계통별 문진	
□Hypertension 고혈압 □DM 당뇨 □Hepatitis 간염 □Pulmonary Tbc 폐결핵 □Asthma 천식 □Allergy 알레르기 □Medication 투약 □Operation 수술 □Others	□General weakness 전신쇠약 □Easy fatigability 이피로성 □Poor Oral intake 구강섭취부진 □Wt Ross 체중감소 □fever 발열 □Chill 오한 □Headache 두통 □Dizziness 어지러움 □Cough 기침 □Sputum 가래 □Dyspnea 호흡곤란 □Chest pain 흉통 □Palpitation 두근거림	□Hematemesis 혈변 □Anorexia 식욕부진 □Nausea 구역 □Vomiting 구토 □Constipation 변비 □Diarrhea 설사 □Abdominal pain 복통 □Melena 흑색변 □Dysuria 배뇨장애 □Oliguria 소변 감소증 □Hematuria 혈뇨 □Voiding Difficulty 배뇨곤란 □Back Pain 허리통증 □Flank Pain 옆구리통증
Familial history 가족력 Social history 사회력 Alcohol Smoking(갑*년)		

신체검사

General appearance 전반적인 모습
Appearance ○Acute 급성 ○Chronic 만성 ○Not ill 아파보이지 않음
Mental status 의식 수준 ○Alert 명료 ○Drowsy 졸리운 ○Stupor 혼미 ○Semicoma 반혼수 ○Coma 혼수

HEENT Pupil 동공 □Isocoria 양안동공동등
Conjunctiva 결막 □anemic 빈혈성 소견
Sclera 공막 □Icteric 황달

Chest Breathing Sound (○Clear ○Coarse ○Wheezing ○Rale) on (Rt / Lt)
Heart Beat (○Regular ○Irregular)
Heart sound (○Clear ○Murmur)

Abdomen Bowel Sound (○Active ○Hyperactive ○Hypoactive ○None)
Tenderness (○Direct 압통 ○Rebound 반동압통) at (Q)

Back and extremity □CVA Tenderness (Rt ○/ Lt ○) 늑골척추각압통
□Pitting edema 오목부종

Neurologic examination Pupil size (Rt mm/ Lt mm) □Facial Palsy 안면마비
PLR 동공 빛반사 (Rt ○ / Lt ○) □Doll's eye 두부 움직임에 대한 동공 반사
□Nystagmus 눈떨림

추정진단 (Impression)	1. 2. 3.				
타과협진 (consult)	1	2	3	4	5
검사 및 결과					
치료 (Treatment)					
최종 진단명 (Diagnosis)					
진료결과	□Adx 입원 (○GW일반병실 ○ICU 중환자실) □D/C 정상퇴원 □Discharged AMA 자의퇴원 □Expire 사망 □Transfer 전원 □기타				

응급의료센터 퇴원 시간 20 년 월 일 시 분

3-2. 사례 연구

환자 사례와 관련하여 학습한 내용을 기록한다.

4-1. 응급의료센터 임상기록지

응급의료센터 도착 시간 20 년 월 일 시 분

발병일시(onset)

환자 정보	**주 증상(Chief Complaint)**
성명 성별/나이 키/체중	**현병력(Present illness)**

내원사유		**초기상태**		**Glasgrow Coma Scale**
질병여부	□질병 □질병 외 □미상	의식수준	□A □V □P □U	**Eye Opening** Spontaneous 4 To Voice 3 To Pain 2 None 1 **Verbal response** Oriented 5 Confused 4 Inappropriate worlds 3 Incomprehensive words 2 **Motor response** Obey command 6 Purposeful movements 5 Withdraw 4 Flexion 3 Extension 2 None 1 **Total**
질병 외 선택항목	□교통사고 ○보행자 ○운전자 ○승객 ○오토바이 ○미상 □폭행 □질식/목맴 □화상(%) □추락(높이:) □중독(종류: 양:) □기타( )	활력징후 혈압(BP) 맥박(PR) 호흡(RR) 체온(BT) SpO_2 BST	/ mmHg 회/분 회/분 ℃ % mg/dl	
내원수단	□도보 □승용차 □택시 □119구급차 □129 환자 이송단 □경찰차 □타병원구급차 □기타( )			

과거력	**계통별 문진**	
□Hypertension 고혈압 □DM 당뇨 □Hepatitis 간염 □Pulmonary Tbc 폐결핵 □Asthma 천식 □Allergy 알레르기 □Medication 투약 □Operation 수술 □Others	□General weakness 전신쇠약 □Easy fatigability 이피로성 □Poor Oral intake 구강섭취부진 □Wt Ross 체중감소 □fever 발열 □Chill 오한 □Headache 두통 □Dizziness 어지러움 □Cough 기침 □Sputum 가래 □Dyspnea 호흡곤란 □Chest pain 흉통 □Palpitation 두근거림	□Hematemesis 혈변 □Anorexia 식욕부진 □Nausea 구역 □Vomiting 구토 □Constipation 변비 □Diarrhea 설사 □Abdominal pain 복통 □Melena 흑색변 □Dysuria 배뇨장애 □Oliguria 소변 감소증 □Hematuria 혈뇨 □Voiding Difficulty 배뇨곤란 □Back Pain 허리통증 □Flank Pain 옆구리통증
Familial history 가족력 Social history 사회력 Alcohol Smoking(갑*년)		

신체검사

General appearance 전반적인 모습
Appearance ○Acute 급성 ○Chronic 만성 ○Not ill 아파보이지 않음
Mental status 의식 수준 ○Alert 명료 ○Drowsy 졸리운 ○Stupor 혼미 ○Semicoma 반혼수 ○Coma 혼수

HEENT Pupil 동공 □Isocoria 양안동공동등
Conjunctiva 결막 □anemic 빈혈성 소견
Sclera 공막 □Icteric 황달

Chest Breathing Sound (○Clear ○Coarse ○Wheezing ○Rale) on (Rt / Lt)
Heart Beat (○Regular ○Irregular)
Heart sound (○Clear ○Murmur)

Abdomen Bowel Sound (○Active ○Hyperactive ○Hypoactive ○None)
Tenderness (○Direct 압통 ○Rebound 반동압통) at (Q)

Back and extremity □CVA Tenderness (Rt ○/ Lt ○) 늑골척추각압통
□Pitting edema 오목부종

Neurologic examination Pupil size (Rt mm/ Lt mm) □Facial Palsy 안면마비
PLR 동공 빛반사 (Rt ○ / Lt ○) □Doll's eye 두부 움직임에 대한 동공 반사
□Nystagmus 눈떨림

추정진단 (Impression)	1. 2. 3.				
타과협진 (consult)	1	2	3	4	5
검사 및 결과					
치료 (Treatment)					
최종 진단명 (Diagnosis)					
진료결과	□Adx 입원 (○GW일반병실 ○ICU 중환자실) □D/C 정상퇴원 □Discharged AMA 자의퇴원 □Expire 사망 □Transfer 전원 □기타				
응급의료센터 퇴원 시간 20 년 월 일 시 분					

4-2. 사례 연구

환자 사례와 관련하여 학습한 내용을 기록한다.

5-1. 응급의료센터 임상기록지

응급의료센터 도착 시간 20 년 월 일 시 분

발병일시(onset)

환자 정보	**주 증상(Chief Complaint)**
성명 성별/나이 키/체중	**현병력(Present illness)**

내원사유		**초기상태**		**Glasgrow Coma Scale**
질병여부	□질병 □질병 외 □미상	의식수준	□A □V □P □U	**Eye Opening** Spontaneous 4 To Voice 3 To Pain 2 None 1 **Verbal response** Oriented 5 Confused 4 Inappropriate worlds 3 Incomprehensive words 2 **Motor response** Obey command 6 Purposeful movements 5 Withdraw 4 Flexion 3 Extension 2 None 1 **Total**
질병 외 선택항목	□교통사고 ○보행자 ○운전자 ○승객 ○오토바이 ○미상 □폭행 □질식/목맴 □화상(%) □추락(높이:) □중독(종류: 양:) □기타( )	활력징후 혈압(BP) 맥박(PR) 호흡(RR) 체온(BT) SpO2 BST	 / mmHg 회/분 회/분 ℃ % mg/dl	
내원수단	□도보 □승용차 □택시 □119구급차 □129 환자 이송단 □경찰차 □타병원구급차 □기타( )			

과거력	**계통별 문진**	
□Hypertension 고혈압 □DM 당뇨 □Hepatitis 간염 □Pulmonary Tbc 폐결핵 □Asthma 천식 □Allergy 알레르기 □Medication 투약 □Operation 수술 □Others	□General weakness 전신쇠약 □Easy fatigability 이피로성 □Poor Oral intake 구강섭취부진 □Wt Ross 체중감소 □fever 발열 □Chill 오한 □Headache 두통 □Dizziness 어지러움 □Cough 기침 □Sputum 가래 □Dyspnea 호흡곤란 □Chest pain 흉통 □Palpitation 두근거림	□Hematemesis 혈변 □Anorexia 식욕부진 □Nausea 구역 □Vomiting 구토 □Constipation 변비 □Diarrhea 설사 □Abdominal pain 복통 □Melena 흑색변 □Dysuria 배뇨장애 □Oliguria 소변 감소증 □Hematuria 혈뇨 □Voiding Difficulty 배뇨곤란 □Back Pain 허리통증 □Flank Pain 옆구리통증
Familial history 가족력 Social history 사회력 Alcohol Smoking(갑*년)		

신체검사

General appearance 전반적인 모습
- Appearance ○Acute 급성 ○Chronic 만성 ○Not ill 아파보이지 않음
- Mental status 의식 수준 ○Alert 명료 ○Drowsy 졸리운 ○Stupor 혼미 ○Semicoma 반혼수 ○Coma 혼수

HEENT Pupil 동공 □Isocoria 양안동공동등
- Conjunctiva 결막 □anemic 빈혈성 소견
- Sclera 공막 □Icteric 황달

Chest Breathing Sound (○Clear ○Coarse ○Wheezing ○Rale) on (Rt / Lt)
- Heart Beat (○Regular ○Irregular)
- Heart sound (○Clear ○Murmur)

Abdomen Bowel Sound (○Active ○Hyperactive ○Hypoactive ○None)
Tenderness (○Direct 압통 ○Rebound 반동압통) at (Q)

Back and extremity □CVA Tenderness (Rt ○/ Lt ○) 늑골척추각압통
- □Pitting edema 오목부종

Neurologic examination Pupil size (Rt mm/ Lt mm) □Facial Palsy 안면마비
- PLR 동공 빛반사 (Rt ○ / Lt ○) □Doll's eye 두부 움직임에 대한 동공 반사
- □Nystagmus 눈떨림

<table>
<tr><td>추정진단
(Impression)</td><td colspan="5">1.
2.
3.</td></tr>
<tr><td>타과협진
(consult)</td><td>1</td><td>2</td><td>3</td><td>4</td><td>5</td></tr>
<tr><td>검사 및 결과</td><td colspan="5"></td></tr>
<tr><td>치료
(Treatment)</td><td colspan="5"></td></tr>
<tr><td>최종 진단명
(Diagnosis)</td><td colspan="5"></td></tr>
<tr><td>진료결과</td><td colspan="5">□Adx 입원 (○GW일반병실 ○ICU 중환자실) □D/C 정상퇴원 □Discharged AMA 자의퇴원
□Expire 사망 □Transfer 전원 □기타</td></tr>
<tr><td colspan="6">응급의료센터 퇴원 시간 20 년 월 일 시 분</td></tr>
</table>

5-2. 사례 연구

환자 사례와 관련하여 학습한 내용을 기록한다.

6-1. 응급의료센터 임상기록지

응급의료센터 도착 시간 20 년 월 일 시 분	
발병일시(onset)	
환자 정보	주 증상(Chief Complaint)
성명 성별/나이 키/체중	현병력(Present illness)

내원사유		초기상태		Glasgrow Coma Scale
질병여부	□질병 □질병 외 □미상	의식수준	□A □V □P □U	**Eye Opening** Spontaneous 4 To Voice 3 To Pain 2 None 1 **Verbal response** Oriented 5 Confused 4 Inappropriate worlds 3 Incomprehensive words 2 **Motor response** Obey command 6 Purposeful movements 5 Withdraw 4 Flexion 3 Extension 2 None 1 **Total**
질병 외 선택항목	□교통사고 ○보행자 ○운전자 ○승객 ○오토바이 ○미상 □폭행 □질식/목맴 □화상(%) □추락(높이:) □중독(종류: 양:) □기타( )	활력징후 혈압(BP) 맥박(PR) 호흡(RR) 체온(BT) SpO₂ BST	 / mmHg 회/분 회/분 ℃ % mg/dl	
내원수단	□도보 □승용차 □택시 □119구급차 □129 환자 이송단 □경찰차 □타병원구급차 □기타( )			

과거력		계통별 문진		
	□Hypertension 고혈압 □DM 당뇨 □Hepatitis 간염 □Pulmonary Tbc 폐결핵 □Asthma 천식 □Allergy 알레르기 □Medication 투약 □Operation 수술 □Others		□General weakness 전신쇠약 □Easy fatigability 이피로성 □Poor Oral intake 구강섭취부진 □Wt Ross 체중감소 □fever 발열 □Chill 오한 □Headache 두통 □Dizziness 어지러움 □Cough 기침 □Sputum 가래 □Dyspnea 호흡곤란 □Chest pain 흉통 □Palpitation 두근거림	□Hematemesis 혈변 □Anorexia 식욕부진 □Nausea 구역 □Vomiting 구토 □Constipation 변비 □Diarrhea 설사 □Abdominal pain 복통 □Melena 흑색변 □Dysuria 배뇨장애 □Oliguria 소변 감소증 □Hematuria 혈뇨 □Voiding Difficulty 배뇨곤란 □Back Pain 허리통증 □Flank Pain 옆구리통증
Familial history 가족력 Social history 사회력 Alcohol Smoking(갑*년)				

신체검사

General appearance 전반적인 모습
- Appearance ○Acute 급성 ○Chronic 만성 ○Not ill 아파보이지 않음
- Mental status 의식 수준 ○Alert 명료 ○Drowsy 졸리운 ○Stupor 혼미 ○Semicoma 반혼수 ○Coma 혼수

HEENT Pupil 동공 □Isocoria 양안동공동등
- Conjunctiva 결막 □anemic 빈혈성 소견
- Sclera 공막 □Icteric 황달

Chest Breathing Sound (○Clear ○Coarse ○Wheezing ○Rale) on (Rt / Lt)
- Heart Beat (○Regular ○Irregular)
- Heart sound (○Clear ○Murmur)

Abdomen Bowel Sound (○Active ○Hyperactive ○Hypoactive ○None)
Tenderness (○Direct 압통 ○Rebound 반동압통) at (Q)

Back and extremity □CVA Tenderness (Rt ○/ Lt ○) 늑골척추각압통
□Pitting edema 오목부종

Neurologic examination Pupil size (Rt mm/ Lt mm) □Facial Palsy 안면마비
PLR 동공 빛반사 (Rt ○ / Lt ○) □Doll's eye 두부 움직임에 대한 동공 반사
□Nystagmus 눈떨림

추정진단 (Impression)	1. 2. 3.			
타과협진 (consult)	1	2	3	4	5
검사 및 결과					
치료 (Treatment)					
최종 진단명 (Diagnosis)					
진료결과	□Adx 입원 (○GW일반병실 ○ICU 중환자실) □D/C 정상퇴원 □Discharged AMA 자의퇴원 □Expire 사망 □Transfer 전원 □기타				
응급의료센터 퇴원 시간 20 년 월 일 시 분					

6-2. 사례 연구

환자 사례와 관련하여 학습한 내용을 기록한다.

7-1. 응급의료센터 임상기록지

응급의료센터 도착 시간 20 년 월 일 시 분

발병일시(onset)

환자 정보	**주 증상(Chief Complaint)**
성명 성별/나이 키/체중	**현병력(Present illness)**

내원사유		초기상태		Glasgrow Coma Scale	
질병여부	□질병 □질병 외 □미상	의식수준	□A □V □P □U	**Eye Opening**	
질병 외 선택항목	□교통사고 ○보행자 ○운전자 ○승객 ○오토바이 ○미상 □폭행 □질식/목맴 □화상(%) □추락(높이:) □중독(종류: 양:) □기타( )	활력징후 혈압(BP) 맥박(PR) 호흡(RR) 체온(BT) SpO2 BST	 / mmHg 회/분 회/분 ℃ % mg/dl	Spontaneous To Voice To Pain None **Verbal response** Oriented Confused Inappropriate worlds Incomprehensive words **Motor response** Obey command Purposeful movements Withdraw Flexion Extension None **Total**	4 3 2 1 5 4 3 2 6 5 4 3 2 1
내원수단	□도보 □승용차 □택시 □119구급차 □129 환자 이송단 □경찰차 □타병원구급차 □기타( )				

과거력	계통별 문진	
□Hypertension 고혈압 □DM 당뇨 □Hepatitis 간염 □Pulmonary Tbc 폐결핵 □Asthma 천식 □Allergy 알레르기 □Medication 투약 □Operation 수술 □Others	□General weakness 전신쇠약 □Easy fatigability 이피로성 □Poor Oral intake 구강섭취부진 □Wt Ross 체중감소 □fever 발열 □Chill 오한 □Headache 두통 □Dizziness 어지러움 □Cough 기침 □Sputum 가래 □Dyspnea 호흡곤란 □Chest pain 흉통 □Palpitation 두근거림	□Hematemesis 혈변 □Anorexia 식욕부진 □Nausea 구역 □Vomiting 구토 □Constipation 변비 □Diarrhea 설사 □Abdominal pain 복통 □Melena 흑색변 □Dysuria 배뇨장애 □Oliguria 소변 감소증 □Hematuria 혈뇨 □Voiding Difficulty 배뇨곤란 □Back Pain 허리통증 □Flank Pain 옆구리통증
Familial history 가족력 Social history 사회력 Alcohol Smoking(갑*년)		

신체검사

General appearance 전반적인 모습
- Appearance ○Acute 급성 ○Chronic 만성 ○Not ill 아파보이지 않음
- Mental status 의식 수준 ○Alert 명료 ○Drowsy 졸리운 ○Stupor 혼미 ○Semicoma 반혼수 ○Coma 혼수

HEENT Pupil 동공 □Isocoria 양안동공동등
- Conjunctiva 결막 □anemic 빈혈성 소견
- Sclera 공막 □Icteric 황달

Chest Breathing Sound (○Clear ○Coarse ○Wheezing ○Rale) on (Rt / Lt)
- Heart Beat (○Regular ○Irregular)
- Heart sound (○Clear ○Murmur)

Abdomen Bowel Sound (○Active ○Hyperactive ○Hypoactive ○None)
Tenderness (○Direct 압통 ○Rebound 반동압통) at (Q)

Back and extremity □CVA Tenderness (Rt ○/ Lt ○) 늑골척추각압통
- □Pitting edema 오목부종

Neurologic examination Pupil size (Rt mm/ Lt mm) □Facial Palsy 안면마비
- PLR 동공 빛반사 (Rt ○ / Lt ○) □Doll's eye 두부 움직임에 대한 동공 반사
- □Nystagmus 눈떨림

추정진단 (Impression)	1. 2. 3.				
타과협진 (consult)	1	2	3	4	5
검사 및 결과					
치료 (Treatment)					
최종 진단명 (Diagnosis)					
진료결과	□Adx 입원 (○GW일반병실 ○ICU 중환자실) □D/C 정상퇴원 □Discharged AMA 자의퇴원 □Expire 사망 □Transfer 전원 □기타				

응급의료센터 퇴원 시간 20 년 월 일 시 분

7-2. 사례 연구

환자 사례와 관련하여 학습한 내용을 기록한다.

8-1. 응급의료센터 임상기록지

응급의료센터 도착 시간 20 년 월 일 시 분	
발병일시(onset)	
환자 정보	**주 증상(Chief Complaint)**
성명 성별/나이 키/체중	**현병력(Present illness)**

내원사유		초기상태		Glasgrow Coma Scale
질병여부	□질병 □질병 외 □미상	의식수준	□A □V □P □U	**Eye Opening** Spontaneous 4 To Voice 3 To Pain 2 None 1 **Verbal response** Oriented 5 Confused 4 Inappropriate worlds 3 Incomprehensive words 2 **Motor response** Obey command 6 Purposeful movements 5 Withdraw 4 Flexion 3 Extension 2 None 1 **Total**
질병 외 선택항목	□교통사고 ○보행자 ○운전자 ○승객 ○오토바이 ○미상 □폭행 □질식/목맴 □화상(%) □추락(높이:) □중독(종류: 양:) □기타( )	활력징후 혈압(BP) 맥박(PR) 호흡(RR) 체온(BT) SpO_2 BST	/ mmHg 회/분 회/분 ℃ % mg/dl	
내원수단	□도보 □승용차 □택시 □119구급차 □129 환자 이송단 □경찰차 □타병원구급차 □기타( )			

과거력		계통별 문진	
□Hypertension 고혈압 □DM 당뇨 □Hepatitis 간염 □Pulmonary Tbc 폐결핵 □Asthma 천식 □Allergy 알레르기 □Medication 투약 □Operation 수술 □Others		□General weakness 전신쇠약 □Easy fatigability 이피로성 □Poor Oral intake 구강섭취부진 □Wt Ross 체중감소 □fever 발열 □Chill 오한 □Headache 두통 □Dizziness 어지러움 □Cough 기침 □Sputum 가래 □Dyspnea 호흡곤란 □Chest pain 흉통 □Palpitation 두근거림	□Hematemesis 혈변 □Anorexia 식욕부진 □Nausea 구역 □Vomiting 구토 □Constipation 변비 □Diarrhea 설사 □Abdominal pain 복통 □Melena 흑색변 □Dysuria 배뇨장애 □Oliguria 소변 감소증 □Hematuria 혈뇨 □Voiding Difficulty 배뇨곤란 □Back Pain 허리통증 □Flank Pain 옆구리통증
Familial history 가족력 Social history 사회력 Alcohol Smoking(갑*년)			

신체검사

General appearance 전반적인 모습
- Appearance ○Acute 급성 ○Chronic 만성 ○Not ill 아파보이지 않음
- Mental status 의식 수준 ○Alert 명료 ○Drowsy 졸리운 ○Stupor 혼미 ○Semicoma 반혼수 ○Coma 혼수

HEENT Pupil 동공 □Isocoria 양안동공동등
- Conjunctiva 결막 □anemic 빈혈성 소견
- Sclera 공막 □Icteric 황달

Chest Breathing Sound (○Clear ○Coarse ○Wheezing ○Rale) on (Rt / Lt)
- Heart Beat (○Regular ○Irregular)
- Heart sound (○Clear ○Murmur)

Abdomen Bowel Sound (○Active ○Hyperactive ○Hypoactive ○None)
Tenderness (○Direct 압통 ○Rebound 반동압통) at (Q)

Back and extremity □CVA Tenderness (Rt ○/ Lt ○) 늑골척추각압통
□Pitting edema 오목부종

Neurologic examination Pupil size (Rt mm/ Lt mm) □Facial Palsy 안면마비
PLR 동공 빛반사 (Rt ○ / Lt ○) □Doll's eye 두부 움직임에 대한 동공 반사
□Nystagmus 눈떨림

<table>
<tr><td>추정진단
(Impression)</td><td colspan="5">1.
2.
3.</td></tr>
<tr><td>타과협진
(consult)</td><td>1</td><td>2</td><td>3</td><td>4</td><td>5</td></tr>
<tr><td>검사 및 결과</td><td colspan="5"></td></tr>
<tr><td>치료
(Treatment)</td><td colspan="5"></td></tr>
<tr><td>최종 진단명
(Diagnosis)</td><td colspan="5"></td></tr>
<tr><td>진료결과</td><td colspan="5">□Adx 입원 (○GW일반병실 ○ICU 중환자실) □D/C 정상퇴원 □Discharged AMA 자의퇴원
□Expire 사망 □Transfer 전원 □기타</td></tr>
<tr><td colspan="6">응급의료센터 퇴원 시간 20 년 월 일 시 분</td></tr>
</table>

8-2. 사례 연구

환자 사례와 관련하여 학습한 내용을 기록한다.

9-1. 응급의료센터 임상기록지

응급의료센터 도착 시간 20 년 월 일 시 분	
발병일시(onset)	
환자 정보	**주 증상(Chief Complaint)**
성명 성별/나이 키/체중	**현병력(Present illness)**

내원사유		초기상태		Glasgrow Coma Scale	
질병여부	□질병 □질병 외 □미상	의식수준	□A □V □P □U	**Eye Opening**	
				Spontaneous	4
				To Voice	3
				To Pain	2
				None	1
질병 외 선택항목	□교통사고 ○보행자 ○운전자 ○승객 ○오토바이 ○미상 □폭행 □질식/목맴 □화상(%) □추락(높이:) □중독(종류: 양:) □기타( )	활력징후 혈압(BP) 맥박(PR) 호흡(RR) 체온(BT) SpO₂ BST	/ mmHg 회/분 회/분 ℃ % mg/dl	**Verbal response**	
				Oriented	5
				Confused	4
				Inappropriate worlds	3
				Incomprehensive words	2
				Motor response	
				Obey command	6
				Purposeful movements	5
				Withdraw	4
				Flexion	3
내원수단	□도보 □승용차 □택시 □119구급차 □129 환자 이송단 □경찰차 □타병원구급차 □기타( )			Extension	2
				None	1
				Total	

과거력	계통별 문진	
□Hypertension 고혈압	□General weakness 전신쇠약	□Hematemesis 혈변
□DM 당뇨	□Easy fatigability 이피로성	□Anorexia 식욕부진
□Hepatitis 간염	□Poor Oral intake 구강섭취부진	□Nausea 구역
□Pulmonary Tbc 폐결핵	□Wt Ross 체중감소	□Vomiting 구토
□Asthma 천식	□fever 발열	□Constipation 변비
□Allergy 알레르기	□Chill 오한	□Diarrhea 설사
□Medication 투약	□Headache 두통	□Abdominal pain 복통
□Operation 수술	□Dizziness 어지러움	□Melena 흑색변
□Others	□Cough 기침	□Dysuria 배뇨장애
Familial history 가족력	□Sputum 가래	□Oliguria 소변 감소증
	□Dyspnea 호흡곤란	□Hematuria 혈뇨
Social history 사회력	□Chest pain 흉통	□Voiding Difficulty 배뇨곤란
Alcohol	□Palpitation 두근거림	□Back Pain 허리통증
Smoking(갑*년)		□Flank Pain 옆구리통증

신체검사

General appearance 전반적인 모습
Appearance ○Acute 급성 ○Chronic 만성 ○Not ill 아파보이지 않음
Mental status 의식 수준 ○Alert 명료 ○Drowsy 졸리운 ○Stupor 혼미 ○Semicoma 반혼수 ○Coma 혼수

HEENT Pupil 동공 □Isocoria 양안동공동등
Conjunctiva 결막 □anemic 빈혈성 소견
Sclera 공막 □Icteric 황달

Chest Breathing Sound (○Clear ○Coarse ○Wheezing ○Rale) on (Rt / Lt)
Heart Beat (○Regular ○Irregular)
Heart sound (○Clear ○Murmur)

Abdomen Bowel Sound (○Active ○Hyperactive ○Hypoactive ○None)
Tenderness (○Direct 압통 ○Rebound 반동압통) at (Q)

Back and extremity □CVA Tenderness (Rt ○/ Lt ○) 늑골척추각압통
□Pitting edema 오목부종

Neurologic examination Pupil size (Rt mm/ Lt mm) □Facial Palsy 안면마비
PLR 동공 빛반사 (Rt ○ / Lt ○) □Doll's eye 두부 움직임에 대한 동공 반사
□Nystagmus 눈떨림

추정진단 (Impression)	1. 2. 3.				
타과협진 (consult)	1	2	3	4	5
검사 및 결과					
치료 (Treatment)					
최종 진단명 (Diagnosis)					
진료결과	□Adx 입원 (○GW일반병실 ○ICU 중환자실) □D/C 정상퇴원 □Discharged AMA 자의퇴원 □Expire 사망 □Transfer 전원 □기타				

응급의료센터 퇴원 시간 20 년 월 일 시 분

9-2. 사례 연구

환자 사례와 관련하여 학습한 내용을 기록한다.

10-1. 응급의료센터 임상기록지

응급의료센터 도착 시간 20 년 월 일 시 분	
발병일시(onset)	
환자 정보	주 증상(Chief Complaint)
성명 성별/나이 키/체중	현병력(Present illness)

내원사유		초기상태		Glasgrow Coma Scale
질병여부	□질병 □질병 외 □미상	의식수준	□A □V □P □U	**Eye Opening** Spontaneous 4 To Voice 3 To Pain 2 None 1 **Verbal response** Oriented 5 Confused 4 Inappropriate worlds 3 Incomprehensive words 2 **Motor response** Obey command 6 Purposeful movements 5 Withdraw 4 Flexion 3 Extension 2 None 1 **Total**
질병 외 선택항목	□교통사고 ○보행자 ○운전자 ○승객 ○오토바이 ○미상 □폭행 □질식/목맴 □화상(%) □추락(높이:) □중독(종류: 양:) □기타( )	활력징후 혈압(BP) 맥박(PR) 호흡(RR) 체온(BT) SpO2 BST	 / mmHg 회/분 회/분 ℃ % mg/dl	
내원수단	□도보 □승용차 □택시 □119구급차 □129 환자 이송단 □경찰차 □타병원구급차 □기타( )			

과거력		계통별 문진		
	□Hypertension 고혈압 □DM 당뇨 □Hepatitis 간염 □Pulmonary Tbc 폐결핵 □Asthma 천식 □Allergy 알레르기 □Medication 투약 □Operation 수술 □Others		□General weakness 전신쇠약 □Easy fatigability 이피로성 □Poor Oral intake 구강섭취부진 □Wt Ross 체중감소 □fever 발열 □Chill 오한 □Headache 두통 □Dizziness 어지러움 □Cough 기침 □Sputum 가래 □Dyspnea 호흡곤란 □Chest pain 흉통 □Palpitation 두근거림	□Hematemesis 혈변 □Anorexia 식욕부진 □Nausea 구역 □Vomiting 구토 □Constipation 변비 □Diarrhea 설사 □Abdominal pain 복통 □Melena 흑색변 □Dysuria 배뇨장애 □Oliguria 소변 감소증 □Hematuria 혈뇨 □Voiding Difficulty 배뇨곤란 □Back Pain 허리통증 □Flank Pain 옆구리통증
Familial history 가족력 Social history 사회력 Alcohol Smoking(갑*년)				

신체검사

General appearance 전반적인 모습
- Appearance ○Acute 급성 ○Chronic 만성 ○Not ill 아파보이지 않음
- Mental status 의식 수준 ○Alert 명료 ○Drowsy 졸리운 ○Stupor 혼미 ○Semicoma 반혼수 ○Coma 혼수

HEENT Pupil 동공 □Isocoria 양안동공동등
- Conjunctiva 결막 □anemic 빈혈성 소견
- Sclera 공막 □Icteric 황달

Chest Breathing Sound (○Clear ○Coarse ○Wheezing ○Rale) on (Rt / Lt)
- Heart Beat (○Regular ○Irregular)
- Heart sound (○Clear ○Murmur)

Abdomen Bowel Sound (○Active ○Hyperactive ○Hypoactive ○None)
Tenderness (○Direct 압통 ○Rebound 반동압통) at (Q)

Back and extremity □CVA Tenderness (Rt ○/ Lt ○) 늑골척추각압통
□Pitting edema 오목부종

Neurologic examination Pupil size (Rt mm/ Lt mm) □Facial Palsy 안면마비
PLR 동공 빛반사 (Rt ○ / Lt ○) □Doll's eye 두부 움직임에 대한 동공 반사
□Nystagmus 눈떨림

추정진단 (Impression)	1. 2. 3.				
타과협진 (consult)	1	2	3	4	5
검사 및 결과					
치료 (Treatment)					
최종 진단명 (Diagnosis)					
진료결과	□Adx 입원 (○GW일반병실 ○ICU 중환자실) □D/C 정상퇴원 □Discharged AMA 자의퇴원 □Expire 사망 □Transfer 전원 □기타				

응급의료센터 퇴원 시간 20 년 월 일 시 분

10-2. 사례 연구

환자 사례와 관련하여 학습한 내용을 기록한다.

CHAPTER 05 응급의료센터 경험기록표(1차)

내용		관찰	보조	수행
1. 환자평가	복통 환자			
	가슴통증 환자			
	옆구리통증 환자			
	호흡곤란 환자			
	중독 환자			
	화상 환자			
	교통사고 환자			
2. 병력청취(문진)	복통 환자			
	가슴통증 환자			
	옆구리통증 환자			
	호흡곤란 환자			
	중독 환자			
	화상 환자			
	교통사고 환자			
3. 활력징후 측정	혈압측정			
	맥박측정			
	호흡수 측정			
	체온 측정			
	산소포화도 측정			
4. 응급처치	치혈 및 상처 처치			
	부목 처치			
	심폐소생술			
	호흡기 치료(네블라이저, 산소공급 등)			
	전기적 치료(제세동 등)			
	니트로글리세린 혀 아래 투여			
5. 기타				

CHAPTER 06 응급의료센터 경험기록표(2차)

내용		관찰	보조	수행
1. 환자평가	복통 환자			
	가슴통증 환자			
	옆구리통증 환자			
	호흡곤란 환자			
	중독 환자			
	화상 환자			
	교통사고 환자			
2. 병력청취 (문진)	복통 환자			
	가슴통증 환자			
	옆구리통증 환자			
	호흡곤란 환자			
	중독 환자			
	화상 환자			
	교통사고 환자			
3. 활력징후 측정	혈압측정			
	맥박측정			
	호흡수 측정			
	체온 측정			
	산소포화도 측정			
4. 응급처치	치혈 및 상처 처치			
	부목 처치			
	심폐소생술			
	호흡기 치료(네블라이저, 산소공급 등)			
	전기적 치료(제세동 등)			
	니트로글리세린 혀 아래 투여			
5. 기타				

CHAPTER 07 응급의료센터 검사

1. 영상검사

1) X선 촬영(X-ray)

X선을 이용하여 인체를 촬영하는 것으로 가장 흔히 이용되는 검사방법이다. 조영제나 기구 등을 사용하지 않기 때문에 비교적 간단하게 검사할 수 있다. 단순 흉부, 복부, 골격, 부비동 촬영 등이 있으며, 결핵, 폐렴, 신장결석, 장폐색증, 사지 또는 척추 골절 등을 진단할 수 있다. X선 촬영에서 이상소견이 발견될 경우 정밀검사를 위해 컴퓨터 단층촬영(CT), 자기공명영상(MRI) 등을 시행하게 된다.

※ 촬영 자세

① Chest PA(Posterior–Anterior) view: 선자세로 등 뒤에서 가슴으로 X선을 투과하게 하여 촬영한다. 이 자세는 가로막을 가장 낮게 하여 폐를 최대한 넓게 하여 찍는다.

② Chest AP(Anterior–Posterior) view: 거동이 불편하거나 선자세로 촬영이 불가능한 경우 누운 상태 또는 앉은 상태로 X선을 앞쪽에서 등 쪽으로 투과하여 촬영한다.

③ Lateral view: 측면에서 찍게 되는 영상이다.

④ Oblique view: 비스듬히 틀어서 찍게 되는 영상이다. 국소 질환 진단에 도움이 된다.

2) 컴퓨터 단층촬영(CT, computed tomography)

인체를 가로로 자른 단면 영상이지만 3차원적인 영상을 얻을 수 있는 정밀검사 방법이다. X선 촬영에서와 같이 X선을 이용해 촬영한다. 검사에 따라 조영제를 사용해 검사를 시행하기도 하며, 이 경우 신부전환자나 약물에 과민반응을 보이는 환자는 시행하지 못하는 단점이 있다.

3) 자기공명영상(MRI, magnetic resonance imaging)

X선 촬영이나 CT와는 달리 고주파를 발생시켜 검사하는 방법으로 인체에 무해하고 해상도가 좋은 검사방법이다. CT와 마찬가지로 인체를 가로로 자른 단면영상이 위주가 되지만 MRI는 환자의 자세 변화 없이 가로축, 세로축, 사선 방향 등의 영상을 자유롭게 얻을 수 있다. 긴 촬영시간과 비싼 검사비용이 단점이 되며, 심장 박동기를 시술한 사람, 달팽이관 이식을 받은 사람 등에서는 검사가 제한된다.

2. 혈액검사

1) 일반 혈액 검사(CBC, complete blood cell count)

검사항목			정상수치	참고
WBC		백혈구	5.000~10,000 /㎣	감염
RBC		적혈구	300만~540만 /㎣	빈혈, 출혈
Hb		헤모글로빈	13.5~18.0 g/dl(남성) 12.0~16.0 g/dl(여성)	빈혈
Hct		헤마토크릿	40~52 %(남성) 37~46%(여성)	
적혈구 지표	MCV	평균 적혈구 용적	82~102 fL(남성) 78~101 fL(여성)	
	MCH	평균 적혈구 헤모글로빈	27~31 pg	
	MCHC	평균 적혈구헤모글로빈 농도	33~37 %	
	RDW	적혈구 크기 차이 분포도	11.5~14.5 %	
ESR		적혈구 침강속도	0~15	염증
PLT		혈소판	15만~40만 /㎣	염증, 면역 질환 등
백혈구 감별계산	Neutrophil	호중구	50~75 %	각종 질환
	Eosinophil	호산구	1~7 %	
	Basophil	호염기구	0.3~2 %	
	Lympocyte	림프구	16~43 %	
	Monocyte	단핵구	0.5~10 %	

2) 혈액 응고 검사(Blood coagulation test, PT/APTT)

다양한 출혈 질환을 진단하기 위한 검사로 혈소판과 응고인자 중 어떤 기능에 문제가 있는지 확인하게 된다.

검사항목	정상수치	참고
PTT(partial thromboplastin)	27~50초	보통 헤파린 치료 환자에서 용량을 조절하기 위해 시행되는 검사로 범발성 혈관내 응고증인 경우 지연될 수 있다.
PT(prothrombin time)	11~15초	응고과정의 이상을 검출하는 방법으로 간질환, 비타민K결손, 범발성혈관내 응고증, 와파린 투여의 경우 증가될 수 있다.

BT(bleeding time)	1~3초	피하혈관을 절개한 후 출혈이 멈출 때까지의 시간을 측정하는 검사법이다.
Fibrinogen	180~350 mg/dL	출혈 시 fibrin으로 바뀌어 지혈작용을 하는 당단백으로 감염에 의해 증가, 간질환 환자에서 감소된다.
FDP	0~5 μg/mL	fibrinogen과 fibrin의 분해물로 증가 시 감염, 쇼크, 조직손상 등을 감별할 수 있다.
D-dimer	0~0.3 mg/L	단백질 분해효소의 일종인 plasmin에 의해 fibrinogen이 분해될 때 생성되는 산물로 악성종양, 감염, 간경화 시 증가될 수 있다.

3) 일반 화학 검사(General chemistry)

검사항목		정상수치	참고
Amylase		30~110 U/L	췌장에서 생성되며 급성췌장염이나 타액선염 등에서 증가할 수 있다.
Lipase		23~300 U/L	주로 췌장에서 생성되며 급성췌장염 진단에 가장 좋은 효소로 민감도와 특이도가 높다.
BUN(blood urea nitrogen)		8~20 mg/dL	혈액요소질소. 신장기능을 측정하는 지표가 되며 신장기능이 저하되거나 요독증, 간경변 등의 환자에서 증가할 수 있다.
Creatinine		0.5~1.3 mg/dL	신장기능을 측정하는 지표가 되며, BUN에 수치에 비해 늦게 증가하지만 마찬가지로 긴장기능이 저하되거나 간경변, 신장결석 등의 환자에서 증가 할 수 있다.
Bilirubin, total		0.1~1.0 mg/dL	간기능 검사. 간에서 생성하는 단백질 및 이와 관련된 물질들을 측정하는 것으로 간질환이나 손상 시 증가하거나 감소할 수 있다.
Albumin		3~5.2 g/dL	
AST(SGOT)		0~401 U/I	
ALT(SGPT)		0~401 U/I	
ALP		66~220 U/L	
Lactate dehydrogenase		100~450 IU/L	간, 근육, 신장, 심장 등에 많이 분포되어 있는 효소로 각 장기에 염증이 있을 때 상승할 수 있다.
Electrolyte	sodium	135~145 mEq/L	전해질 검사. 신장이나 당뇨, 내분비질환이나 골질환에서 증가되거나 감소될 수 있다.
	potassium	3.5~5 mEq/L	
	chloride	98~110	
CRP(C-reactive protein)		0~0.3 mg/dL	급성 반응 물질로 간에서 생성되며 염증, 종양, 괴사 같은 질환에서 증가할 수 있다.

4) 동맥혈가스분석검사(Arterial blood gas analysis, ABGA)

동맥혈액의 가스분석을 통해 폐포 환기, 기체교환, 산염기 평형상태를 알 수 있다(산소분압, 산소포화도, 이산화탄소분압, PH 등). PH 수치로 산증과 알칼리증을, $PaCO_2$와 HCO−3수치로 호흡성 문제인지 대사성 문제인지 확인할 수 있다.

검사항목	정상수치	참고
PH	7.35-7.45	•**증가** 알칼리증 •**감소** 산증
PaO2	80-100 mmHg	•**감소** 저산소혈증
PaCO2	35-45 mmHg	•**증가** 과소 환기(호흡성 산증) •**감소** 과대 환기(호흡성 알칼리증)
HCO-3	22-26 mEq/L	•**증가** 대사성 산증 •**감소** 대사성 알칼리증
SaO2	95-100 %	산소와 실제 결합한 혈색소가 차지하는 비율로 PaO2가 60 mmHg 정도일 때 SaO2는 90% 정도가 된다.

5) 심장효소검사(Cardiac enzyme)

심근경색을 진단하기 위해 실시되는 대표적인 검사 중 하나로 심근 손상 시 심장에 작용하는 특이 효소의 농도가 혈청 내에서 높아지는 원리를 이용한다.

① CK(creatine kinase)−MB 심장 근육에만 존재하는 효소로 급성 허혈 발생 직후 높은 수치를 보인다.

② Troponin Troponin I, Troponin T, Troponin C로 구성되며 그 중 급성심근경색 진단에서 특이도와 민감도가 높은 Troponin I의 수치를 보고 심근경색을 진단한다.

③ LDH(Lactic dehydrogenase) LDH1~5까지 5개의 동효소가 있으며 이 중 LDH1이 심근손상의 가장 예민한 지표로 사용된다.

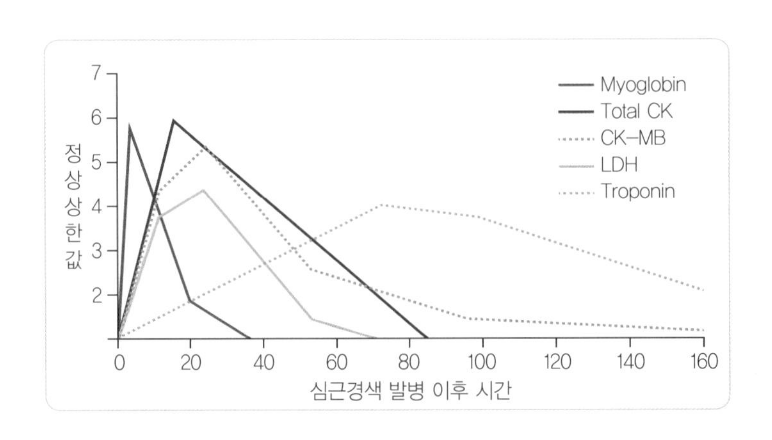

3. 요검사(urinarysis)

요로계, 내분비 및 대사질환을 진단하는 데 시행된다. 요검사 종류에는 소변의 색이나 혼탁정도, 냄새 등을 보는 물리적 성상검사와 요당, 요단백, 요잠혈 등을 반정량적으로 검출하는 요시험지봉 검사, 현미경을 이용하여 적혈구, 백혈구, 세균 및 각종 결정 등을 관찰하는 요침사 검사가 있다.

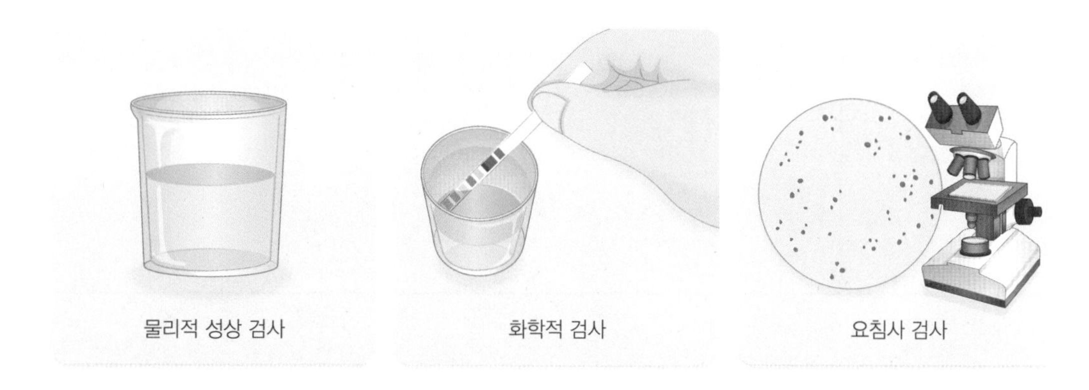
물리적 성상 검사 화학적 검사 요침사 검사

■ 119구조·구급에 관한 법률 시행규칙 [별지 제5호서식]

소방서 119구급대(안전센터) 전화) -	구 급 활 동 일 지	결재	119구급대장(센터장)

차량번호		구분	[ ]특수일반 [ ]특수전문 [ ]헬기 [ ]펌뷸런스 [ ]기타

구급출동					
신고일시	. . . :	신고자	전화번호		신고방법 [ ]일반전화 [ ]휴대전화 [ ]기타( )
출동시각	:	환자 인적 사항	성명	나이 세	성별 [ ]남 [ ]여 생년월일
현장도착	:		주소	(Tel)	
			직업	[ ]영아 [ ]유아 [ ]학생 [ ]주부 [ ]자영업 [ ]직장인 [ ]무직 [ ]기타( )	[ ]외국인(국적:)
환자접촉	:	보호자 등	성명	관 계	전화번호
		환자발생 위치			
거리	km	환자 발생 장소(택일)	[ ]집 [ ]집단거주시설 [ ]도로 [ ]도로외 교통지역 [ ]오락/문화 시설 [ ]학교/교육시설 [ ]운동시설 [ ]상업시설 [ ]의료관련시설 [ ]공장/산업/건설시설 [ ]일차산업장 [ ]바다/강/산/논밭 [ ]기타( )		
현장출발	:				
병원도착	:	환자 증상 (복수 선택 가능)	■ 통증([ ]두통 [ ]흉통 [ ]복통 [ ]요통 [ ]분만진통 [ ]그 밖의 통증) ■ 외상([ ]골절 [ ]탈구 [ ]염좌 [ ]열상 [ ]찰과상 [ ]타박상 [ ]절단 [ ]압궤손상 [ ]화상) [ ]의식장애 [ ]기도이물 [ ]기침 [ ]호흡곤란 [ ]호흡정지 [ ]심계항진 [ ]심정지 [ ]경련 [ ]발작 [ ]실신 [ ]오심/구토 [ ]설사 [ ]변비 [ ]배뇨장애 [ ]객혈 [ ]토혈 [ ]비출혈 [ ]질출혈 [ ]그 밖의 출혈 [ ]고열 [ ]저체온증 [ ]어지러움 [ ]편마비 [ ]사지마비 [ ]전신쇠약 [ ]정신장애 [ ]그 밖의 이물질 [ ]기타( )		
귀소시각	:				
출동유형	[ ]정상[ ]오인 [ ]거짓[ ]취소 [ ]기타				

환자발생유형			
[ ]질 병	병 력 ([ ]없음 [ ]미상)	[ ]고혈압 [ ]당뇨 [ ]뇌혈관질환 [ ]심장질환 [ ]폐질환 [ ]결핵 [ ]간염 [ ]간경화 [ ]알레르기 [ ]암(종류:) [ ]신부전(투석여부 :) [ ]기타( )	
[ ]질병외	[ ]교통사고	사상자	[ ]운전자 [ ]동승자 [ ]보행자 [ ]자전거 [ ]오토바이 [ ]그 밖의 탈 것( ) [ ]미상
	[ ]사고부상	원인(택일)	[ ]낙상 [ ]추락 [ ]중독 ■화상([ ]화염 [ ]고온체 [ ]전기 [ ]물) [ ]열상 [ ]자상 [ ]그 밖의 둔상 [ ]관통상 [ ]익수 [ ]성폭행 [ ]질식 [ ]화학물질 [ ]동물/곤충 [ ]자연재해 [ ]기계 [ ]농기계 [ ]열손상 [ ]상해 [ ]기타( )
	[ ]비외상성 손상 (택일)		[ ]중독 [ ]연기흡입 [ ]목맴·목졸림 [ ]화상 [ ]익수 [ ]질식 [ ]온열손상 [ ]한랭손상 [ ]화학물질 [ ]기타( )
	범죄의심		[ ]경찰통보 [ ]경찰인계 [ ]긴급이송 [ ]관련기관 통보
[ ]기타	[ ]임산부 [ ]단순주취 [ ]기타( )		

환자평가								
의식상태	[ ]A [ ]V [ ]P [ ]U							사고부위(복수선택 가능)
동공반응	좌	[ ]정상 [ ]축동 [ ]산동	[ ]반응 [ ]무반응 [ ]측정불가					
	우	[ ]정상 [ ]축동 [ ]산동	[ ]반응 [ ]무반응 [ ]측정불가					
활력 징후 [ ] 불가 [ ] 거부	시각	혈압	맥박	호흡	체온	SpO_2	혈당체크	
	:	/ mmHg	회/min	회/min	℃	%	mg/dL	
	:	/ mmHg	회/min	회/min	℃	%	mg/dL	
환자분류	[ ]응급 [ ]준응급 [ ]잠재응급 [ ]대상 외 [ ]사망([ ]추정)							
구급대원 평가소견	◦주 호소: ◦발생시간([ ]추정): :							

4.5 4.5 9 9 4.5 4.5 18 1 4.5 4.5 9 9

응급처치 (복수 선택 가능)	
	■기도확보:[ ]도수조작 [ ]기도유지기(airway) [ ]기도삽관(Intubation) [ ]성문외 기도유지기(supraglottic airway) [ ]흡인기 [ ]기도폐쇄처치 ■산소투여: L/min([ ]비관 [ ]안면마스크 [ ]비재호흡마스크 [ ]BVM [ ]산소소생기 [ ]포켓마스크 [ ]네뷸라이저 [ ]기타) ■CPR([ ]실시 [ ]거부 [ ]DNR [ ]유보) [ ]ECG ■AED([ ]Shock [ ]Monitoring) [ ]기타( ) ■순환보조([ ]정맥로 확보 [ ]수액공급(cc) 확보) [ ]약물투여( ) ■고정([ ]경추 [ ]척추 [ ]부목 [ ]머리) ■상처처치([ ]지혈 [ ]상처드레싱) [ ]분만 [ ]보온([ ]온 [ ]냉)

의료지도				
의료지도	[ ]연결 [ ]미연결	요청시간 :	요청방법	[ ]일반전화 [ ]휴대전화([ ]음성 [ ]화상) [ ]무전기 [ ]기타( )
의료지도 기관	[ ]소방 [ ]병원 [ ]기타( )	의료 지도 내용	[ ]응급처치:[ ]airway [ ]Intubation [ ]supraglottic airway [ ]ECG [ ]AED [ ]CPR [ ]IV [ ]BVM [ ]산소투여 [ ]고정 [ ]상처처치 [ ]혈당체크 [ ]보온 [ ]기타( ) [ ]약물투여:[ ]N/S [ ]D/W [ ]NTG [ ]기관지확장제 [ ]에피네프린 [ ]아미오다론 [ ]기타( ) [ ]병원선정 [ ]환자평가 [ ]CPR유보·중단 [ ]이송거절 [ ]이송거부 [ ]기타( )	
의료지도 의사	성명			

환자이송	이송 기관명		도착시간 (km)	의료기관 등 선정자	재이송 사유		환자 인수자
1차		[ ]관할 [ ]타시·도	: (km)	[ ]구급대 [ ]119상황실 [ ]구급상황센터 [ ]환자/보호자 [ ]기타( )	■병상 부족([ ]응급실 [ ]수술실 [ ]입원실 [ ]중환자실) [ ]전문의 부재 [ ]의료장비 고장 [ ]주취자 등	[ ]환자/보호자의 변심 [ ]1차 응급처치 [ ]기타( )	[ ]의 사 [ ]간호사 [ ]응급구조사 [ ]기 타
2차		[ ]관할 [ ]타시·도	: (km)	[ ]구급대 [ ]119상황실 [ ]구급상황센터 [ ]환자/보호자 [ ]기타( )	■병상 부족([ ]응급실 [ ]수술실 [ ]입원실 [ ]중환자실) [ ]전문의 부재 [ ]의료장비 고장 [ ]주취자 등	[ ]환자/보호자의 변심 [ ]1차 응급처치 [ ]기타( )	[ ]의 사 [ ]간호사 [ ]응급구조사 [ ]기 타

연계이송	[ ] 소방 [ ] 활동	※ 본 구급대는 환자의 추가 손상 및 악화(사망 등) 방지를 위해 응급처치에 적합하고 최단시간 이내에 이송이 가능한 ______ 병원으로 이송을 권유 하였으나 ______ 씨가 원하는 ______ 병원으로 이송함에 따라 발생하는 민사·형사상 책임을 지지 않습니다. 위 내용을 고지합니다. (서명 또는 인)
미이송	[ ]취소 [ ]다른차량 [ ]환자 없음 [ ]현장처치 [ ]이송거부 [ ]이송거절 [ ]경찰인계 [ ]이송 불필요 [ ]사망 [ ]기타( )	

이송자						
의사	소속: 성명: (서명 또는 인)					
구급대원(1)	[ ]1급 [ ]2급 [ ]간호사 [ ]구급교육 [ ]기타	계급	소방	성명	(서명 또는 인)
구급대원(2)	[ ]1급 [ ]2급 [ ]간호사 [ ]구급교육 [ ]기타	계급	소방	성명	(서명 또는 인)
운전요원	[ ]1급 [ ]2급 [ ]간호사 [ ]구급교육 [ ]기타	계급	소방	성명	(서명 또는 인)

장애요인	[ ]없음 [ ]장거리 이송 [ ]보호자 요구 [ ]원거리 병원 [ ]원거리 출동 [ ]만취자 [ ]폭행 [ ]언어폭력 [ ]환자 과체중 [ ]기관협조 미흡 [ ]환자위치 불명확 [ ]교통정체 [ ]폭우 [ ]폭설 [ ]기타( )

일련번호		재난번호	

뒷장이 동시에 기록되도록 제작

CHAPTER 08 구급활동일지 작성 방법

1. 구급차 차량정보

■119구조·구급에 관한 법률 시행규칙 [별지 제5호서식]

<table>
<tr><td colspan="2">소방서 119구급대(안전센터)
전화) -</td><td colspan="3">구급활동일지</td><td rowspan="2">결재</td><td>119구급대장(센터장)</td></tr>
<tr><td>차량
번호</td><td></td><td>구분</td><td>[ ]특수일반 [ ]특수전문</td><td>[ ]헬기 [ ]펌뷸런스 [ ]기타</td><td></td></tr>
</table>

① **구급차 정보**

○ 소속 소방서[119구급대(안전센터)]의 이름 및 전화번호를 정확하게 기재한다.

○ 구급대로 운영하는 경우에도 배치된 안전센터를 표기하도록 한다.

○ 결재란의 경우 구급대로 운영하는 지역은 119구급대장, 미운영하는 지역은 안전센터장이 결재하도록 한다.

② **구급차 차량번호 구분**

○ 구급차 차량번호 및 특수일반, 특수전문(전문구급차), 헬기, 펌뷸런스, 기타 중 해당 부분에 ✓로 체크한다.

코드 및 표기 방법	**[ ]특수일반**	**[ ]특수전문**	**[ ]헬기**	**[ ]펌뷸런스**	**[ ]기타**

2. 구급출동

<table>
<tr><td rowspan="8">구급
출동</td><td>신고</td><td>20 . . .</td><td>신고자</td><td>전화번호</td><td></td><td>신고방법</td><td colspan="4">[ ]일반전화 [ ]휴대전화 [ ]기타( )</td></tr>
<tr><td>일시</td><td>:</td><td rowspan="3">환자
인적
사항</td><td>성명</td><td></td><td>나이 세</td><td>성별</td><td>[ ]남 [ ]여</td><td>생년월일</td><td></td></tr>
<tr><td>출동
시각</td><td>:</td><td>주소</td><td colspan="6">(Tel)</td></tr>
<tr><td>현장
도착</td><td>:</td><td>직업</td><td colspan="5">[ ]영아 [ ]유아 [ ]학생 [ ]주부 [ ]자영업 [ ]직장인
[ ]무직 [ ]기타( )</td><td>[ ]외국인(국적:)</td></tr>
<tr><td>환자
접촉</td><td>:</td><td>보호자
등</td><td>성명</td><td></td><td>관 계</td><td></td><td>전화번호</td><td></td></tr>
<tr><td>거리</td><td>km</td><td colspan="2">환자발생 위치</td><td colspan="6"></td></tr>
</table>

<table>
<tr><td rowspan="4">구급
출동</td><td>현장
출발</td><td>:</td><td rowspan="2">환자
발생
장소
(택일)</td><td rowspan="2">[ ]집 [ ]집단거주시설 [ ]도로 [ ]도로외 교통지역 [ ]오락/문화 공공시설 [ ]학교/교육시설 [ ]운동시설 [ ]상업시설 [ ]의료관련시설 [ ]공장/산업/건설시설 [ ]일차산업장 [ ]바다/강/산/논밭 [ ]기타(　　　)</td></tr>
<tr><td>병원
도착</td><td>:
:</td></tr>
<tr><td>귀소
시각</td><td>:</td><td rowspan="2">환자
증상
(복수
선택
가능)</td><td rowspan="2">■통증([ ]두통 [ ]흉통 [ ]복통 [ ]요통 [ ]분만진통 [ ]그 밖의 통증)
■외상([ ]골절 [ ]탈구 [ ]염좌 [ ]열상 [ ]찰과상 [ ]타박상 [ ]절단 [ ]압궤손상 [ ]화상)
[ ]의식장애 [ ]기도이물 [ ]기침 [ ]호흡곤란 [ ]호흡정지 [ ]심계항진 [ ]심정지
[ ]경련 [ ]발작 [ ]실신 [ ]오심/구토 [ ]설사 [ ]변비 [ ]배뇨장애 [ ]객혈 [ ]토혈
[ ]비출혈 [ ]질출혈 [ ]그 밖의 출혈 [ ]고열 [ ]저체온증 [ ]어지러움 [ ]편마비
[ ]사지마비 [ ]전신쇠약 [ ]정신장애 [ ]그 밖의 이물질 [ ]기타(　　　)</td></tr>
<tr><td>출동
유형</td><td>[ ]정상 [ ]오인
[ ]거짓 [ ]취소
[ ]기타</td></tr>
</table>

① **신고일시**

- ○ 환자 또는 보호자가 구급차 출동을 요청한 최초 신고시간을 기재한다(상황실 수보내용을 이용).
- ○ 출동지령서에 신고접수일시와 출동지령일시 시간차가 생기는 경우에는 구급일지 좌측 빈 공란에 출동지령일시 기재(단, 전산 입력 시에는 출동지령일시를 기재하지 않도록 함)
- ○ 표기방법 : YYYY. MM. DD. HH:MM (예 : 2016. 01. 01. 00 : 00)
- ○ 모든 시각은 24시간 기준으로 기록한다.
  예) 정오는 12:00, 23:59분 후 자정은 24:00(×)아니고 00:00(○)임.

② **출동시각**

- ○ 안전센터에서 구급차가 출동한 실제 시각을 기록한다.
- ○ 최초 출동시각을 기록한 시계로 다음의 모든 시각을 측정한다.
- ○ 모든 시각은 24시간 기준으로 기록한다.

③ **현장도착**

- ○ 구급차량이 주차할 수 있는 위치에 주차하기 위해 도달한 시간 또는 구급대원이 환자에게 접촉하기 위하여 구급차에서 내린 시각을 기재한다.
- ○ 최초 출동시각을 기록한 시계로 다음의 모든 시각을 측정한다.
- ○ 모든 시각은 24시간 기준으로 기록한다.

④ **환자접촉**

- ○ 현장 도착 후 차량에서 도보 등으로 이동, 환자를 인지하고 시진·문진·촉진 등 직접적으로 환자를 접촉한 시각을 기재한다.(환자접근이 어려운 환경에서 환자의 상태를 원거리에서 확인하였어도 직접적인 환자상태 확인을 시행하지 않은 경우는 제외)
- ○ 최초 출동시각을 기록한 시계로 다음의 모든 시각을 측정한다.
- ○ 모든 시각은 24시간 기준으로 기록한다.

⑤ **거리**

- ○ 안전센터에서 환자 발생 지역까지 구급차로 이동한 거리를 기재한다.
- ○ 구급차 귀소 등 운행 중 구급출동을 받은 경우는 받은 시점 구급차 위치에서 환자 발생 지역까지 이동한 거리를 기재한다.

⑥ **현장출발**

- ○ 현장에서 구급차가 출발한 시각을 기재한다.
- ○ 최초 출동시각을 기록한 시계로 다음의 모든 시각을 측정한다.
- ○ 모든 시각은 24시간 기준으로 기록한다.

⑦ **병원도착**

- ○ 병원에 구급차가 도착한 시각을 기재한다.
- ○ 최초 출동시각을 기록한 시계로 다음의 모든 시각을 측정한다.
- ○ 모든 시각은 24시간 기준으로 기록한다.

⑧ **귀소시각**

- ○ 구급차가 센터에 다시 복구한 시각을 기재한다.
- ○ 최초 출동시각을 기록한 시계로 다음의 모든 시각을 측정한다.
- ○ 모든 시각은 24시간 기준으로 기록한다.

⑨ **출동유형**

- ○ 현장 출동의 유형을 기록한다.
- ○ 당해 해당하는 부분에 ✓로 체크한다.

코드 및 표기 방법	[ ]**정상** : 화재, 구조, 구급(환자 미발생, 이송거절·거부, 다중출동, 현장처치 등) 등 현장에서의 직접적인 **구급활동을 목적으로 정상 출동**한 경우 [ ]**거짓** : 당초부터 환자가 없었음에도 거짓 또는 허위로 신고한 것으로 판단되는 경우 [ ]**오인** : 사고 또는 피해자가 있다고 신고자가 잘못 보거나 잘못 생각한 경우 [ ]**취소** : 센터를 출발하여 현장에 도착하기 전 신고를 취소하거나 다른 차량 등을 이용하여 이미 이송한 경우 [ ]**기타** : 민원이나 대민봉사 등 직접적인 **구급활동이 아닌 목적 외로 출동**하는 경우

3. 신고자, 환자 인적사항

<table>
<tr><td rowspan="11">구급
출동</td><td rowspan="2">신고
일시</td><td rowspan="2">20 . . .
:</td><td>신고자</td><td>전화번호</td><td></td><td>신고방법</td><td colspan="5">[ ]일반전화 [ ]휴대전화 [ ]기타( )</td></tr>
<tr><td rowspan="4">환자
인적
사항</td><td>성명</td><td></td><td>나이</td><td>세</td><td>성별</td><td>[ ]남[ ]여</td><td>생년월일</td><td></td></tr>
<tr><td>출동
시각</td><td>:</td><td>주소</td><td colspan="7">(Tel)</td></tr>
<tr><td rowspan="2">현장
도착</td><td rowspan="2">:</td><td rowspan="2">직업</td><td colspan="6" rowspan="2">[ ]영아 [ ]유아 [ ]학생 [ ]주부 [ ]자영업 [ ]직장인 [ ]무직 [ ] 기타( )</td><td rowspan="2">[ ]외국인(국적:)</td></tr>
<tr></tr>
<tr><td>환자
접촉</td><td>:</td><td>보호자
등</td><td>성명</td><td></td><td>관 계</td><td></td><td>전화번호</td><td colspan="2"></td></tr>
<tr><td>거리</td><td>km</td><td colspan="2">환자발생 위치</td><td colspan="7"></td></tr>
<tr><td>현장
출발</td><td>:</td><td rowspan="2">환자
발생
장소
(택일)</td><td colspan="8" rowspan="2">[ ]집 [ ]집단거주시설 [ ]도로 [ ]도로외 교통지역 [ ]오락/문화 공공시설 [ ]학교/교육시설 [ ]운동시설 [ ]상업시설 [ ]의료관련시설 [ ]공장/산업/건설시설 [ ]일차산업장 [ ]바다/강/산/논밭 [ ]기타</td></tr>
<tr><td>병원
도착</td><td>:</td></tr>
<tr><td>귀소
시각</td><td>:</td><td rowspan="2">환자
증상
(복수
선택
가능)</td><td colspan="8" rowspan="2">■통증([ ]두통 [ ]흉통 [ ]복통 [ ]요통 [ ]분만진통 [ ]그 밖의 통증)
■외상([ ]골절 [ ]탈구 [ ]염좌 [ ]열상 [ ]찰과상 [ ]타박상 [ ]절단 [ ]압궤손상 [ ]화상)
[ ]의식장애 [ ]기도이물 [ ]기침 [ ]호흡곤란 [ ]호흡정지 [ ]심계항진 [ ]심정지 [ ]경련
[ ]발작 [ ]실신 [ ]오심/구토 [ ]설사 [ ]변비 [ ]배뇨장애 [ ]객혈 [ ]토혈 [ ]비출혈 [ ]질출혈
[ ]그 밖의 출혈 [ ]고열 [ ]저체온증 [ ]어지러움 [ ]편마비 [ ]사지마비 [ ]전신쇠약 [ ]정신장애
[ ]그 밖의 이물질 [ ]기타( )</td></tr>
<tr><td>출동
유형</td><td>[ ]정상 [ ]오인
[ ]거짓 [ ]취소
[ ]기타</td></tr>
</table>

① 신고자-전화번호

○ 구급출동을 최초로 신고한 사람이나 직접 방문한 경우 신고한 사람의 전화번호를 기재한다.

○ 지령정보를 참고하거나 또는 직접 확인하여 기록한다.

② 신고자-신고방법

○ 구급차 출동을 요청한 신고 수단을 기재한다.

○ 지령정보를 참고하거나 또는 직접 확인하여 기록한다.

○ 당해 해당하는 부분에 ✓로 체크한다.

코드 및 표기 방법	**[ ]일반전화 [ ]휴대전화 [ ]기타( )**

③ 환자 인적사항-성명, 나이, 성별, 생년월일

○ 환자 성명을 직접 확인하거나 보호자에게 확인하여 기록한다.

○ 환자가 성명을 직접 응답할 수 없는 의학적 상태이고, 신고자나 보호자가 없는 경우에는 신분증 등을 확인한다.

○ 환자의 나이를 만 나이로 기록한다. (출생 일자를 이용한 만 나이 계산법)

예) • 생일이 지난 경우 : 만 나이=현재 연도-출생연도

• 생일이 지나지 않은 경우 : 만 나이=현재연도-출생연도-1

○ 환자의 성별은 문진에 의하고, 구급대원이 판명할 수 없는 경우 의료기관으로 이송 후 의사의 판단에 의한다.

○ 모든 이송환자의 주민번호 앞자리에 등재된 생년월일을 정확히 기록한다.
(신분증 등 확인)

④ 환자 인적사항-주소

○ 환자의 실제 거주지 주소 및 전화번호(휴대폰 번호 가능)를 기록한다.

○ 환자의 실제 거주지 주소와 주민등록된 주소가 상이한 경우, 주민등록된 주소를 기재하도록 한다.

○ 환자의 주소는 최소한 도로명(동, 리) 단위까지 기록하도록 한다.

⑤ 환자 인적사항-직업

○ 환자가 주로 경제적 수입을 얻고 있는 직업을 한 가지 선택하여 표기한다.

코드 및 표기 방법	[ ]**영아** : 만 1세 미만의 어린이 [ ]**유아** : 만 1세로부터 초등학교 취학 전 [ ]**학생** : 초등학생부터 대학생까지 [ ]**주부** : 다른 가족을 위한 가사노동을 하는 경우 [ ]**자영업** : 영리를 목적으로 하는 각종 산업을 독립적으로 영위하는 사람 [ ]**직장인** : 규칙적으로 직장을 다니면서 급료를 받아 생활하는 사람 [ ]**무직** : 다른 가족을 위한 가사노동에 종사하지 않으면서 명확한 수입을 얻는 경제활동에 종사하지 않는 경우 [ ]**기타**( )

⑥ 환자 인적사항-외국인

○ 환자가 외국인인 경우에 ✓로 표기하고, 국적을 확인하여 기록한다.

○ 외국인의 국적을 한글로 명확히 기록한다.

⑦ 보호자 등-성명, 관계, 전화번호

○ 보호자 성명 및 환자와의 관계를 파악하여 구체적으로 기록한다.
예) 남편, 아내, 아들, 딸, 친구, 사촌, 형, 동생, 누나 등.

○ 보호자와 직접 접촉할 수 있는 전화번호(핸드폰 등)를 확보하여 기재하도록 한다.

4. 환자발생장소, 환자증상

<table>
<tr><td rowspan="10">구급
출동</td><td rowspan="2">신고
일시</td><td rowspan="2">20 . . .
:</td><td>신고자</td><td>전화번호</td><td></td><td>신고방법</td><td colspan="4">[ ]일반전화 [ ]휴대전화 [ ]기타( )</td></tr>
<tr><td rowspan="3">환자
인적
사항</td><td>성명</td><td></td><td>나이 세</td><td>성별</td><td>[ ]남 [ ]여</td><td>생년월일</td><td></td></tr>
<tr><td>출동
시각</td><td>:</td><td>주소</td><td colspan="6">(Tel)</td></tr>
<tr><td>현장
도착</td><td>:</td><td>직업</td><td colspan="5">[ ]영아[ ]유아[ ]학생[ ]주부[ ]자영업[ ]직장인[ ]무직[ ]기타( )</td><td>[ ]외국인(국적:)</td></tr>
<tr><td>환자
접촉</td><td>:</td><td>보호자
등</td><td>성명</td><td></td><td>관 계</td><td></td><td>전화번호</td><td></td></tr>
<tr><td>거리</td><td>km</td><td colspan="2">환자발생 위치</td><td colspan="5"></td></tr>
<tr><td>현장
출발</td><td>:</td><td rowspan="2">환자
발생</td><td colspan="6" rowspan="2">[ ]집 [ ]집단거주시설 [ ]도로 [ ]도로외 교통지역 [ ]오락/문화 공공시설 [ ]학교/교육시설
[ ]운동시설 [ ]상업시설 [ ]의료관련시설 [ ]공장/산업/건설시설 [ ]일차산업장
[ ]바다/강/산/논밭 [ ]기타</td></tr>
<tr><td>병원
도착</td><td>:</td></tr>
<tr><td>귀소
시각</td><td>:</td><td rowspan="2">환자
증상
(복수
선택
가능)</td><td colspan="6" rowspan="2">■통증([ ]두통 [ ]흉통 [ ]복통 [ ]요통 [ ]분만진통 [ ]그 밖의 통증)
■외상([ ]골절 [ ]탈구 [ ]염좌 [ ]열상 [ ]찰과상 [ ]타박상 [ ]절단 [ ]압궤손상 [ ]화상)
[ ]의식장애 [ ]기도이물 [ ]기침 [ ]호흡곤란 [ ]호흡정지 [ ]심계항진 [ ]심정지 [ ]경련 [ ]발작
[ ]실신 [ ]오심/구토 [ ]설사 [ ]변비 [ ]배뇨장애 [ ]객혈 [ ]토혈 [ ]비출혈 [ ]질출혈 [ ]그 밖의 출혈 [ ]고열 [ ]저체온증 [ ]어지러움 [ ]편마비 [ ]사지마비 [ ]전신쇠약 [ ]정신장애
[ ]그 밖의 이물질 [ ]기타( )</td></tr>
<tr><td>출동
유형</td><td>[ ]정상 [ ]오인
[ ]거짓 [ ]취소
[ ]기타</td></tr>
</table>

① 환자 발생 위치

○ 환자 발생 위치의 주소를 기재하며, 최소한 시·군·구 까지는 확인해야 한다.

○ 주소가 불분명할 경우 도로명, 거리, 건물명칭 등으로 기재하도록 한다.

○ 환자인적사항란의 주소와 발생장소가 동일한 경우에는 환자발생 위치 란에 "상동"으로 기재할 수 있다.

② 환자 발생 장소

○ 해당 발생 장소의 분류를 반드시 한 가지만 선택하여 ✓로 체크하도록 한다.

<table>
<tr><td>코드 및 표기 방법</td><td>[ ]집 : 개인주택마당, 개인주택 진입도로, 개인주택 차고, 개인 주택 내 수영장, 농가, 아파트, 이동 주택단지, 주택구내, 하숙집, 주택 내(아파트 내) 테니스코트 등의 운동시설, 아파트 내 놀이터에서 환자가 발생한 경우
[ ]집단거주시설 : 양로원, 고아원, 기숙사, 군 관련시설(캠프, 훈련시설 등), 교도소 등 집단으로 거주하는 시설을 말함
[ ]도로 : 일반도로, 고속도로
[ ]도로외 교통지역 : 인도, 지하철(승하차장, 역 내 계단 포함), 정거장, 정류장, (아파트)주차장, 군사훈련장, 유기 또는 방치된 주택, 철로 등</td></tr>
</table>

코드 및 표기 방법	[ ]**오락/문화 공공시설** : 동물원, 영화관, 동사무소, 유원지, 온천, 공원 등 오락 · 문화용도 및 공공을 위한시설 [ ]**학교/교육시설** : 학교 및 학원, 유치원, 놀이방, Day Care Center 등 교육관련 시설 [ ]**운동시설** : 운동장, 헬스장, 보트장 등 취미나 체력단련 등을 위한 시설 [ ]**상업시설** : 가게, 백화점, 슈퍼마켓 등 상업(상품을 사고파는)이 이루어지는 장소 [ ]**의료관련시설** : 의료인이 공중 또는 특정 다수인을 위하여 의료나 조산업무 등을 행하는 장소(병원, 의원, 조산소, 요양병원 등) [ ]**공장/산업/건설시설** : 공사 중인 건물, 폐허, 공장, 광산 및 채석장, 석유 및 가스 추출 장비, 조선소, 발전소, 기타 명시된 산업 및 건설 지역 [ ]**일차산업장** : 농림수산업 및 동물사육(목축업) 등 직접 자연에 적용하는 산업장 [ ]**바다/강/산/논밭** [ ]**기타** : 종교시설 등 해당하는 분류가 없는 경우 또는 분류가 불명확한 경우에 표시하고 구체적으로 기록(예: 지하 1층 000술집 내, 1층 00옷가게 앞 인도)

③ **환자 증상**

○ 환자가 호소하는 증상을 ✓로 체크하여 모두 기록한다. ※ 복수 선택 가능

코드 및 표기 방법	■**통증** [ ]**두통** [ ]**흉통** [ ]**복통** [ ]**요통** [ ]**분만진통** : 환자의 호소에 따라 ✓로 표시 [ ]**그 밖의 통증** : 해당 부위를 **구체적으로 기술** (예: 오른쪽 옆구리, 뒷목, 오른팔 하부, 목 안쪽, 삼킬 때 등) ■**외상** : 해당 증상에 따라 ✓로 표시 [ ]**골절** : 외부의 힘에 의해 뼈의 연속성이 완전 혹은 불완전하게 소실된 상태 [ ]**탈구** : 관절을 구성하는 뼈마디·연골·인대 등의 조직이 정상적인 운동범위를 벗어나 위치가 바뀌는 상태 [ ]**염좌** : 갑작스러운 충격이나 운동으로 근막이나 인대가 상하거나 타박상으로 피하조직이나 장기가 상한 상태 [ ]**열상** : 피부가 찢어져서 생긴 상처 [ ]**찰과상** : 무엇에 스치거나 문질려서 살갗이 벗어진 상처 [ ]**타박상** : 둔중한 물체에 의한 타격·충돌 등에 의해서 일어나는 외상 [ ]**절단** : 자르거나 베어서 끊어진 상태 [ ]**압궤손상** : 압력에 의해 신체조직, 혈관, 신경 등이 손상을 입는 것(=압착손상) [ ]**화상** : 불이나 뜨거운 물, 화학물질 등에 의해 피부 및 조직이 손상된 것 [ ]**의식장애** : 호흡, 맥박이 있으나 의식이 비정상으로 변한 상태가 지속되는 것 [ ]**기도이물** : 이물질에 의해 호흡곤란이 발생한 것. 의식이 있을 수도 있고 없을 수도 있음 ※ 음식물에 의한 경우에 **호흡곤란이 없이 통증만** 있다면' **[ ]그 밖의 통증**'에 부위를 **기록**할 것 [ ]**호흡곤란** : 정상 호흡을 하는 것에 장애가 있는 것. 환자가 직접 호흡이 어렵다고 호소하는 것

코드 및 표기 방법	[ ]**심계항진** : 가슴이 두근 거림. 의식이 없는 경우는 해당하지 않음 [ ]**심정지** : 불렀을 때 반응이 없고 호흡이 없으며 만질 수 있는 맥박이 없는 것, 또는 AED로 명확하게 확인된 심정지 [ ]**경련** : 대원이 직접 경련 증상을 관찰하거나, 현장에 있던 사람이 목격한 경우에만 해당 (대부분의 경련환자는 자신이 경련한 것을 기억하지 못하기 때문에 환자의 진술에 의존하지 말 것) ※ **경련인지 아닌지 불명확한 의식 소실**이 있었다면 아래의'**[ ]실신**'에 **기록**할 것 [ ]**발작** : 불특정한 신체 증상이 갑자기 발생하였다가 갑자기 사라지는 경우. 경련 제외 [ ]**실신** : 의식을 잃었으나 곧(수 분 이내에) 정상으로 돌아온 경우 **※'의식장애'와 구분할 것** [ ]**오심/구토** : 울렁거리거나 토할 것 같은 느낌이 있는 경우 또는 실제 토한 경우 [ ]**설사** : 변이 무르고 물기가 많은 상태로 배설되는 상태 [ ]**변비** : 배변 시 무리한 힘이 필요하거나 대변이 과도하게 딱딱하게 굳은 경우 [ ]**배뇨장애** : 배뇨통, 잔뇨감, 빈뇨, 혈뇨가 있는 것 [ ]**객혈** : 기침 시 피가 남. 가래에 피가 섞임, 아주 선홍색의 피를 다량 토하면서 호흡곤란이 동반된 경우 [ ]**토혈** : 피를 토함. 객혈과 구분할 것. 기침과 무관함. 오심/구토, 혈변이 동반될 수 있음 [ ]**비출혈** : 코피. 외상성/비외상성 포함 [ ]**질출혈** : 여성에서 질 혹은 그 인근에서 발생한 출혈. 외상성/비외상성 포함. 혈뇨와 구분 [ ]**그 밖의 출혈** : 부위를 기록.(예: 뒤통수, 왼발등, 오른 엄지발가락, 앞가슴, 왼쪽 눈썹위 등) 특히 모든 외상성 열상에서 표시 [ ]**고열** : 정상체온(36.5~37.5℃)을 넘는 높은 체온이 측정된 것 또는 환자가 오한, 발열감, 더위를 호소하는 것. 의식 장애를 동반할 수 있음 [ ]**저체온** : 정상체온(36.5~37.5℃)에 미치지 못하는 낮은 체온이 측정된 것 또는 환자가 심한 떨림과 추위를 호소하는 것. 국소적인 손상(동상, 동창 등.)이 발생한 것. 의식장애가 있을 수 있음 [ ]**어지러움** : 본인이나 주위가 도는 느낌, 의학적 관점에서는 지구 중력 하에서 자신이나 주위의 사물이 정지해 있음에도 불구하고 움직임을 느끼는 모든 증상을 통칭 [ ]**편마비** : 편측(한쪽)의 상하지 또는 얼굴부분의 근력 저하가 나타난 상태 [ ]**사지마비** : 신체의 특정 부위에 운동이 불가능한 것(☞ 예: 팔을 들 수 없다. 얼굴을 찡그릴 수 없다. 물을 마실 때 입의 한쪽으로 흐른다. 한쪽 다리를 들 수 없다. 등) [ ]**전신쇠약** : 특정부위가 아닌 전신에 기운이 없고 활발하게 움직일 수 없는 경우. 의식이 없는 경우는 해당하지 않음 [ ]**정신장애** : 정신과 병력 유무에 상관없이 망상, 헛소리, 난폭한 행동, 자살시도 등 비정상적으로 보이는 언어 또는 행동상의 증상이 있는 것 또는 급격히 이러한 증상이 심해진 것 [ ]**그 밖의 이물질** : 기도 외의 이물질에 의한 증상(예: 눈에 약품이 튐, 귀에 벌레가 들어감, 생선가시가 걸림, 상처부위에 이물질이 박혀있음 등) [ ]**기타** : 위에 해당하지 않는 모든 증상. **구체적으로 기록**

5. 환자발생유형

<table>
<tr><td rowspan="7">환자
발생
유형</td><td>[ ]질 병</td><td colspan="2">병력
([ ]없음 [ ]미상)</td><td>[ ]고혈압 [ ]당뇨 [ ]뇌혈관질환 [ ]심장질환 [ ]폐질환 [ ]결핵 [ ]간염 [ ]간경화 [ ]알레르기
[ ]암(종류:) [ ]신부전증(투석여부:) [ ]기타( )</td></tr>
<tr><td rowspan="5">[ ]질병외</td><td>[ ]교통사고</td><td>사상자</td><td>[ ]운전자 [ ]동승자 [ ]보행자 [ ]자전거 [ ]오토바이 [ ]그 밖의 탈 것( ) [ ]미상</td></tr>
<tr><td>[ ]사고부상</td><td>원인
(택일)</td><td>[ ]낙상 [ ]추락 [ ]중독 ■화상([ ]화염 [ ]고온체 [ ]전기[ ]물) [ ]열상 [ ]자상 [ ]그 밖의 둔상 [ ]관통상 [ ]익수 [ ]성폭행 [ ]질식 [ ]화학물질 [ ]동물/곤충 [ ]자연재해 [ ]기계 [ ]농기계 [ ]열손상 [ ]상해 [ ]기타( )</td></tr>
<tr><td colspan="2">[ ]비외상성 손상(택일)</td><td>[ ]중독 [ ]연기흡입 [ ]목맴·목졸림 [ ]화상 [ ]익수 [ ]질식 [ ]온열손상 [ ]한랭손상 [ ]화학물질 [ ]기타( )</td></tr>
<tr><td colspan="2">범죄의심</td><td>[ ]경찰통보 [ ]긴급이송 [ ]경찰인계 [ ]관련기관 통보</td></tr>
<tr><td colspan="3"></td></tr>
<tr><td>[ ]기 타</td><td colspan="3">[ ]임산부 [ ]단순주취 [ ]기타( )</td></tr>
</table>

① 환자 발생 유형

○ 환자의 유형에 따라 다음의 순서대로 ✓로 체크하여 기록한다.

<table>
<tr><td rowspan="2">코드 및 표기 방법</td><td>
<table>
<tr><td>[ ]질병</td><td>⇒</td><td>병력</td><td></td><td>[ ]없음 [ ]미상</td><td>⇒</td><td>[ ]</td></tr>
<tr><td rowspan="4">[ ]질병 외</td><td rowspan="3">⇒</td><td rowspan="3">병력</td><td rowspan="3">⇒</td><td>[ ]교통사고</td><td>⇒</td><td>사상자</td></tr>
<tr><td>[ ]사고부상</td><td>⇒</td><td>원인</td></tr>
<tr><td>[ ]비외상성 손상</td><td>⇒</td><td>원인</td></tr>
<tr><td>⇒</td><td colspan="5">범죄의심</td></tr>
<tr><td>[ ]기타</td><td>⇒</td><td colspan="5"></td></tr>
</table>
</td></tr>
<tr><td>[ ]질병 : 외부의 힘 또는 물질에 의하지 않는 것
[ ]질병 외 : 외부의 힘 또는 물질에 의한 것. 사고, 부상, 외상, 손상, 중독, 익수, 이물, 의학적 처치 등 질병 외의 모든 것
※ 비외상성 손상에 체크하는 경우 중증외상에 해당하지 않음
[ ]기타 : 임산부, 단순주취 등 질병(외) 범주에 속하지 않는 유형</td></tr>
</table>

② 환자발생유형-병력

○ 모든 환자의 과거 병력을 조사하여 ✓로 체크하여 기록한다. ※ 복수 선택 가능

코드 및 표기 방법	**[ ]고혈압 [ ]당뇨 [ ]뇌혈관질환 [ ]심장질환 [ ]폐질환 [ ]결핵 [ ]간염 [ ]간경화 [ ]알레르기( ) [ ]암(종류:) [ ]신부전(투석여부:) [ ]기타( )**

○ 치료에 상관없이 진단받은 경우(들은 적 있는 경우)에는 모두 기록한다.
'알레르기', '암', '기타'에 해당하는 경우는 ( )에 해당 물질이나 병명을 자세히 기록
'신부전'에 해당하는 경우는 투석여부를 기록

○ 병력 정보가 없는 경우는 '[ ]없음'에 체크하도록 하며, 환자가 의식이 없는 등의 이유로 조사가 불가능

한 경우는 '[ ]미상' 또는' 기타'란에 조사 불가(Non-Exam) 사유를 기재한다.

③ 환자발생유형-질병 외 (대분류)

○ '질병 외' 환자에서 당해 해당하는 경우를 구분하여 기록한다.

코드 및 표기 방법	**[ ]교통사고** : 모든 운송수단(동력기가 달린 탈 것, 배, 비행기, 기차 등)에 의한 손상환자 **[ ]사고부상** : 교통사고가 아닌 다른 원인에 의한 손상, 중독 **[ ]비외상성 손상** : 위에 해당하지 않는 경우. **자세히 기록**

④ 환자발생유형-질병 외-교통사고-사상자

○ 교통사고 당시 환자의 위치를 파악하여 해당항목에 ✓로 체크한다.

코드 및 표기 방법	**[ ]운전자 [ ]동승자 [ ]보행자 [ ]자전거 [ ]오토바이** **[ ]그 밖의 탈 것( )** : 자동차, 자전거, 오토바이가 아닌 경운기, 삼륜차 등 **[ ]미상 :** 알 수 없는 경우

⑤ 환자발생유형-질병 외-사고부상-원인

○ 교통사고가 아닌 '질병 외' 환자 중 당해 분류에 따라 하나를 선택하여 기록한다.

코드 및 표기 방법	**[ ]낙상** : 넘어짐 **[ ]추락** : 높은 곳에서 떨어짐 **[ ]중독** : 약품 등 화학물질을 섭취, 흡입, 흡수한 것 **■화상 [ ]화염** : 불꽃에 의한 손상 　　**[ ]고온체** : 뜨거운 액체 또는 고체에 접촉하는 경우 　　**[ ]전기** : 전기에 의한 화상, 감전 　　**[ ]물** : 물에 의한 화상 **[ ]열상** : 날카로운 물질에 의해 발생한 절단, 베임 등 **[ ]그 밖의 둔상** : 부딪치거나 맞는 것과 같은 손상 **[ ]관통상** : 뾰족한 물체에 의한 조직의 찔림, 뚫림 손상 **[ ]익수** : 물에 빠진 것 **[ ]성폭행** : 성적인 행위로 남에게 육체적 손상, 정신·심리적 압박을 주는 물리적 강제력 **[ ]질식** : 연기, 목맴 등 호흡 장애가 유발된 것 **[ ]화학물질** : 화학물질에 의한 화상 **[ ]동물/곤충** : 동물 및 곤충에 의한 교상 포함(벌, 뱀, 해파리, 개, 멧돼지 등) **[ ]자연재해** : 태풍, 홍수 등 자연재해에 의한 손상 **[ ]기계** : 산업시설 등 기계에 의한 손상 **[ ]농기계** : 농기계에 의한 손상 **[ ]열손상** : 화재에 의한 손상 **[ ]상해** : 타인에 의해 몸에 상처를 내어 해를 입은 경우 **[ ]기타(　)** : 위의 어느 사항에도 해당하지 않는 경우, **자세히 기록**

⑥ **환자발생유형–질병 외–비외상성 손상**

○ 중증외상에 해당되지 않으며, 외관상으로 부상이 보이지 않는 경우 '비외상성 손상' 환자 중 당해 분류에 따라 하나를 선택하여 기록한다.

코드 및 표기 방법	[ ]**중독** : 알콜중독, 연탄가스 등 [ ]**연기흡입** [ ]**목맴·목졸림** [ ]**화상** : 썬텐 등 간접적인 열원에 의한 손상 [ ]**익수** [ ]**질식** [ ]**온열손상** : 열사병, 열탈진, 열경련, 열실신, 열부종, 기타 중 선택 [ ]**한랭손상** : 저온환경 등에 노출되어 입은 손상(동상, 저체온증 등) [ ]**화학물질** [ ]**기타 :** 위의 어느 사항에도 해당하지 않는 경우, **자세히 기록**

⑦ **환자발생유형–질병 외–범죄의심**

○ 모든 환자에게 확인하며, 범죄가 의심되는 경우 행한 조치 내용을 기록한다. ※ 복수 선택 가능
아동학대 또는 노인학대 중 방임에 의한 경우는 '질병 외'가 아닌 '질병'으로 분류되기도 함.

코드 및 표기 방법	**[ ]경찰통보 [ ]긴급이송 [ ]경찰인계 [ ]관련기관 통보**

⑧ **환자발생유형–기타**

○ 질병 또는 질병 외에 해당하지 않는 환자로 다른 발생 요인이 없는 임산부 및 단순한 주취환자를 선택 기록하거나, 기타 항목에 없는 발생유형의 내용을 기록한다.

코드 및 표기 방법	**[ ]임산부 [ ]단순주취 [ ]기타( )**

6. 환자평가

<table>
<tr><td rowspan="8">환자
평가</td><td>의식상태</td><td colspan="7">[ ]A [ ]V [ ]P [ ]U</td><td>사고부위(복수선택 가능)</td></tr>
<tr><td rowspan="2">동공반응</td><td>좌</td><td colspan="3">[ ]정상 [ ]축동 [ ]산동</td><td colspan="3">[ ]반응 [ ]무반응 [ ]측정불가</td><td rowspan="6"></td></tr>
<tr><td>우</td><td colspan="3">[ ]정상 [ ]축동 [ ]산동</td><td colspan="3">[ ]반응 [ ]무반응 [ ]측정불가</td></tr>
<tr><td rowspan="3">활력 징후
[ ]불가
[ ]거부</td><td>시각</td><td>혈압</td><td>맥박</td><td>호흡</td><td>체온</td><td>SpO2</td><td>혈당체크</td></tr>
<tr><td>:</td><td>/ mmHg</td><td>회/min</td><td>회/min</td><td>℃</td><td>%</td><td>mg/dL</td></tr>
<tr><td>:</td><td>/ mmHg</td><td>회/min</td><td>회/min</td><td>℃</td><td>%</td><td>mg/dL</td></tr>
<tr><td>환자 분류</td><td colspan="7">[ ]응급 [ ]준응급 [ ]잠재응급 [ ]대상 외 [ ]사망([ ]추정)</td></tr>
<tr><td>구급대원
평가 소견</td><td colspan="8">• 주 호소: • 발생시간([ ]추정): :</td></tr>
</table>

① 환자평가-의식상태

○ 모든 환자에게 측정하는 것이 원칙이다.

코드 및 표기 방법	**[ ]A** : 명료한 상태. 시간, 공간, 사람에 대한 정상적 반응 **[ ]V** : 말소리가 나야만 반응하는 경우 **[ ]P** : 통증자극에만 반응이 있음 **[ ]U** : 통증자극에도 반응이 없음

② 환자평가-동공반응

○ 모든 환자에게 측정하는 것이 원칙이며, 좌□우를 각각 기록한다.

○ 동공반응은 동공크기와 대광반사를 평가한다.

코드 및 표기 방법	※ 다음은 환자 동공의 크기에 대한 기록임 **[ ]정상 :** 동공크기가 정상(2~4 mm)임 **[ ]축동 :** 동공크기가 2 mm 미만 **[ ]산동 :** 동공크기가 4 mm 초과 **※ 다음은 환자 동공의 대광반사에 대한 기록임** **[ ]반응 :** 빛을 직접 비추었을 때 동공의 크기가 줄어듦 **[ ]무반응 :** 빛을 직접 비추었을 때 동공 크기에 변화가 없음 **[ ]측정불가** : 시각장애 및 환자가 협조하지 않고 외상이나 기타사유로 (측정부위의 부종 또는 출혈 등) 측정이 불가피한 경우
측정방법	환자의 양쪽 눈을 동시에 개안시키고, 양측의 동공크기를 비교한다 펜 라이트를 이용하여 환자의 얼굴 밖에서 비추면서 빛에 대한 동공의 대광반사 (수축반사)를 관찰한다

③ **환자평가–활력징후**

○ 모든 환자에게 측정하는 것이 원칙이다. (비 응급 환자일 경우에도 반드시 측정, 기록)

○ 현장 도착하여 최초 1회, 병원 도착 직전 마지막 1회는 반드시 기록한다.
(단, 현장에서 병원 도착까지 이송 소요시간이 5분 이내일 경우 최초 1회만 측정할 수 있다)

○ 이송 중 활력징후를 여러 번 실시했을 경우에는 구급활동일지 별도의 빈 공란에 기록한다.

코드 및 표기 방법	[ ]**불가** : 현장상황이 매우 위험하여 대피가 우선인 경우, 사지절단 등 측정 부위에 심각한 훼손이 있는 경우 [ ]**거부** : 환자가 활력징후 측정을 거부한 경우 [ ]**시각** : 매회 활력징후 측정 시각을 24시간제 기록, 출동시간을 기록한 시계를 기준 [ ]**혈압** : 자동 또는 수동혈압계 이용하여 측정한 혈압을 기록 [ ]**맥박** : 환자의 분당 맥박수(회/분) [ ]**호흡** : 환자의 분당 호흡수(회/분) [ ]**체온** : 환자의 체온(℃) [ ]**SpO_2** : 환자의 동맥혈 산소포화도로 감지기에 나타난 숫자를 기록 [ ]**혈당체크** : 환자의 혈당

④ **환자평가–환자분류**

○ 환자의 상태 평가결과를 종합하여 기록한다.

코드 및 표기 방법	[ ]**응급** : 불안정한 활력징후에 하나라도 해당되는 경우, 주증상의 흉통/의식장애/호흡곤란/호흡정지/심계항진/심정지/마비에 해당하는 경우, 심각한 기전에 의한 중증외상환자인 경우, 수분 이내에 신속한 처치가 필요하다고 구급대원이 판단한 경우 [ ]**준응급** : 위의 항목에 해당하지 않으나 수 시간 이내에 처치가 필요한 경우 [ ]**잠재응급** : 위의 두 항목에 해당하지 않으나 응급실 진료가 필요한 모든 환자 [ ]**대상 외** : 응급환자 이송이 아닌 경우. 외래방문, 예약환자 등의 경우에 해당 [ ]**사망([ ]추정)** : 사후 강직, 시반, 두부 절단, 체간 절단 또는 부패의 명백한 사망의 징후가 있거나 강력히 의심되는 경우. 심정지 환자에서 이러한 징후가 없는 경우는 해당하지 않음

⑤ 환자평가–구급대원 평가소견

○ 환자에 대한 구급대원 종합 평가소견을 형식에 따라 기술하고 필요에 따라 구급대원 판단하에 주변상황, 목격자 진술 등을 추가로 기록한다.
필요시 구급활동일지의 빈 여백 및 단말기의 메모란 이용

○ 주 호소는 반드시 기록한다.

○ 증상의 발생시간(추정인 경우[ ]추정에 체크)은 반드시 기록한다.

⑥ **환자평가–사고부위(복수선택가능)**

○ 사고부위(그림)에서 사고환자의 손상부위를 필기구로 표시한다.

○ 성인 화상환자의 경우 사고부위(그림)에 반드시 손상부위를 표시한다.
필요시 소아 화상환자의 경우 별도로 사고부위(그림)를 그려서 손상부위를 표시함.

7. 응급처치

응급 처치 (복수 선택 가능)	■기도확보:[ ]도수조작 **[ ]기도유지기(airway) [ ]기도삽관(Intubation) [ ]성문외 기도유지기(supraglottic airway)** [ ]흡인기 [ ]기도폐쇄처치 ■산소투여: **L/min**([ ]비관 [ ]안면마스크 [ ]비재호흡마스크 [ ]BVM [ ]산소소생기 [ ]포켓마스크 [ ]네뷸라이저 [ ]기타) ■CPR([ ]실시 [ ]거부 [ ]DNR **[ ]유보**) [ ]ECG ■AED([ ]Shock [ ]Monitoring) [ ]기타( ) ■순환보조([ ]정맥로 확보 [ ]수액공급(cc) 확보) [ ]약물투여( ) ■고정([ ]경추 [ ]척추 [ ]부목 [ ]머리) ■상처처치([ ]지혈 [ ]상처드레싱) [ ]분만 [ ]보온([ ]온 [ ]냉)

① 응급처치

○ 구급대원이 시행한 모든 구급처치 항목을 성공여부에 상관없이 기록한다.

※ 복수 선택 가능

○ 약물을 투여한 경우, 투여 약물명을 상세히 기록한다.

○ 아래의 몇 가지 항목은 기록 시 주의할 것.

표기방법 및 주의할 점	**■기도확보** : 기도가 유지되지 않는 환자(의식이 없거나, 기도에 이물이 있는 경우 등)에서 시행한 술기 **※ 복수 선택 가능** **[ ]성문 외 기도유지기(supraglottic airway) :** 후두마스크(LMA), King airway, I-gel, 기타 중 선택 **■산소투여** : 산소 투여량과 경로를 기록 **※ 복수 선택 가능** **[ ]비관** : 환자 콧구멍에 삽입하기 위해 2개의 짧은 관이 있으며 저농도의 산소를 전달하는 장비 **[ ]안면마스크** : 환자의 입과 코를 완전히 덮는 중간 농도의 산소를 전달하며 양측에 구멍이 열려있는 장비 **[ ]비재호흡마스크** : 마스크와 저장주머니 사이에 일방 판막이 있어 환자의 호기 호흡 동안 저장주머니의 산소와 혼합되지 않아 고농도의 산소를 전달하기 위한 장비 **[ ]BVM** : 고정용적자가팽창 주머니가 있어 충분한 일회호흡량과 산소를 전달하기 위한 장비 **[ ]산소소생기** : 의식이 있고, 호흡을 하는 환자에게 고농도의 산소를 마스크를 이용하여 산소의 유량을 조절하여 주는 장비로 차량고정식과 이동식으로 구분 **[ ]포켓마스크** : 산소연결관이 있는 마스크로 입 대 입 호흡을 하기 위해 사용하는 장비 **[ ]네블라이져** : 약물을 작은 입자형태로 뿜어내어 폐 깊숙이 전달하기 위한 기구 **■CPR** : 주 증상에 심정지, 호흡정지 환자에서 심폐소생술 시행 여부 기록 시행하지 않은 경우에는 아무것도 체크하지 말 것 **[ ]거부** : 보호자가 단순히 거부한 경우 **[ ]DNR** : 병원에서 심폐소생술에 대해 설명을 듣고 거부동의서 등을 작성한 것을 **문서 또는 표식**으로 확인한 경우에만 해당 **[ ]유보** : 사망이 명백한 환자에 대해 소생술을 제공하지 않는 경우(사후경직, 시반, 중요한 신체(두부 및 몸통)의 분리, 뇌실질의 탈출, 부패된 환자 및 심폐소생술을 시행하는 구급대원에게 심각한 손상이 발생할 수 있는 위험 상황 **[ ]ECG** : 12유도 심전도를 시행하였거나 심전도 감시를 이용한 경우, 심정지, 호흡정지 환자에서 AED를 적용한 것은 제외 **■AED** : 심정지, 호흡정지 환자에서 AED 적용 내용에 대한 기록 **[ ]Shock** : 심정지, 호흡정지 환자에게 shock을 적용한 경우 **[ ]Monitoring** : 심정지, 호흡정지 환자에서 AED를 적용하였으나, shock을 주는 리듬에 해당하지 않아 모니터링만 했던 경우나 기타 심전도 모니터가 필요한 환자에게 심장충격기를 사용하여 심전도 모니터링을 한 경우

8. 의료지도

<table>
<tr><td rowspan="3">의료
지도</td><td>**의료지도**</td><td colspan="2">**[ ]연결 [ ]미연결**</td><td>요청시간</td><td>:</td><td>요청방법</td><td>[ ]일반전화 [ ]휴대전화([ ]음성 [ ]화상) [ ]무전기 [ ]기타( )</td></tr>
<tr><td>의료지도
기관</td><td colspan="2">[ ]소방 [ ]병원
[ ]기타( )</td><td rowspan="2">의료
지도
내용</td><td colspan="3" rowspan="2">[ ]응급처치: [ ]airway [ ]Intubation **[ ]supraglottic airway** [ ]ECG [ ]AED [ ]CPR [ ]IV
[ ]BVM [ ]산소투여 [ ]고정 [ ]상처처치 [ ]혈당체크 [ ]보온 [ ]기타( )
[ ]약물투여: [ ]N/S [ ]D/W [ ]NTG [ ]기관지확장제 **[ ]에피네프린 [ ]아미오다론** [ ]기타( )
[ ]병원선정 [ ]환자평가 [ ]CPR유보·중단 **[ ]이송거절 [ ]이송거부** [ ]기타( )</td></tr>
<tr><td>의료지도
의사</td><td>성명</td><td></td></tr>
</table>

① 의료지도

- ○ 의료지도와 관련하여 해당 내용을 기록한다.
- ○ 의료지도 요청시간, 요청방법, 의료지도기관은 연결 여부에 상관없이 요청을 했다면 기록한다.
- ○ 의료지도기관은 의료지도 의사의 소속기관이 아닌 수행 장소를 기록한다.
- ○ 단, 의료지도의사 성명은 의료지도를 요청하여 연결된 경우에만 기록한다.
- ○ 의료지도내용은 성공 여부에 상관없이 의료지도를 받아 시행한 내용을 모두 기록한다.

※ 복수 선택 가능

코드 및 표기 방법	**[ ]응급처치** : [ ]airway [ ]Intubation [ ]supraglottic airway [ ]ECG [ ]AED [ ]CPR [ ]IV [ ]BVM [ ]산소투여 [ ]고정 [ ]상처처치 [ ]혈당체크 [ ]보온 [ ]기타( ) **[ ]약물투여** : [ ]N/S [ ]D/W [ ]NTG [ ]기관지확장제 [ ]에피네프린 [ ]아미오다론 [ ]기타 **[ ]병원선정 [ ]환자평가 [ ]CPR유보·중단 [ ]이송거절 [ ]이송거부 [ ]기타( )**

9. 환자이송

<table>
<tr><td rowspan="3">환자
이송</td><td colspan="3">이송 기관명</td><td>도착시간
(km)</td><td>의료기관 등 선정자</td><td>재이송 사유</td><td colspan="2">환자 인수자</td></tr>
<tr><td>1차</td><td></td><td>[ ]관할
[ ]타시·도</td><td>:
(km)</td><td>[ ]구급대 [ ]119상황실
[ ]구급상황센터
[ ]환자/보호자
[ ]기타( )</td><td>■병상 부족([ ]응급실 [ ]수술실 [ ]입원실 [ ]중환자실)
[ ]전문의 부재 [ ]환자/보호자의 변심
[ ]의료장비 고장 [ ]1차 응급처치
[ ]주취자 등 [ ]기타( )</td><td>[ ]의 사
[ ]간호사
[ ]응급구조사
[ ]기 타</td><td></td></tr>
<tr><td>2차</td><td></td><td>[ ]관할
[ ]타시·도</td><td>:
(km)</td><td>[ ]구급대 [ ]119상황실
[ ]구급상황센터
[ ]환자/보호자
[ ]기타( )</td><td>■병상 부족([ ]응급실 [ ]수술실 [ ]입원실 [ ]중환자실)
[ ]전문의 부재 [ ]환자/보호자의 변심
[ ]의료장비 고장 [ ]1차 응급처치
[ ]주취자 등 [ ]기타( )</td><td>[ ]의 사
[ ]간호사
[ ]응급구조사
[ ]기 타</td><td></td></tr>
<tr><td>연계
이송</td><td>[ ]</td><td>소
방
활
동</td><td>**[ ]**</td><td colspan="5">※ 본 구급대는 환자의 추가 손상 및 악화(사망 등) 방지를 위해 응급처치에 적합하고 최단시간 이내에 이송이 가능한 ___병원으로 이송을 권유하였으나 ___씨의 원하는 대로 ___병원으로 이송함에 따라 발생하는 민사·형사상 책임을 지지 않습니다. 위 내용을 고지합니다. (서명 또는 인)</td></tr>
<tr><td>미이송</td><td colspan="8">[ ]취소[ ]다른차량[ ]환자 없음[ ]현장처치[ ]이송거부[ ]이송거절[ ]경찰인계[ ]이송 불필요[ ]사망[ ]기타( )</td></tr>
</table>

① **환자 이송**

○ 환자 이송에 관한 사항을 항목에 따라 기록한다.

○ 환자가 이송된 이송기관명을 기록한다.

코드 및 표기 방법	**[ ]관할 :** 의료기관 위치가 관할인 경우 **[ ]타 시·도 :** 관할 외 행정구역의 의료기관인 경우

○ 환자 이송 도착시간은 [구급출동–병원도착]과 같은 시각으로 기록한다.
출동시간 측정한 시계와 같은 시계로 측정하며 24시간제로 기록함.

○ 환자를 이송한 의료기관에서 재이송한 사유에 해당하는 항목을 모두 기록한다.
※ 복수 선택 가능

코드 및 표기 방법	**■병상 부족 ([ ]응급실 [ ]수술실 [ ]입원실 [ ]중환자실)** **[ ]전문의 부재 [ ]환자/보호자의 변심 [ ]의료장비 고장 [ ]1차 응급처치** **[ ]주취자 등 [ ]기타( )**

○ 환자인수자를 구분하여 ✓로 체크하여 기록하고, 인수자의 서명을 성명표시로 받도록 한다.
구조구급활동정보시스템 입력 시 환자인수자란에 성명을 기재하도록 되어 있음.

코드 및 표기 방법	**[ ]의 사 [ ]간호사 [ ]응급구조사 [ ]기 타** : 인수자(성명)

② **연계 이송 : 구급차, 헬기, 선박, 기타(4항목)**

○ 다중출동으로 출동 중 귀소 및 현장에 도착하여 활동은 하였으나 환자를 이송하지 않은 구급차, 또는 헬기·선박·기타에 인계한 경우. 단, 미이송 사유로 선·후착대 모두 이송하지 않은 경우 미이송으로 간주하고 미이송 항목을 선택, 기록한다.

○ 연계 이송 체크 시 미이송 항목은 작성하지 않고, 평가소견란 등에 현장 상황을 자세히 기록한다.

○ 헬기에서 구급대 이송

③ **소방 활동**

○ 화재출동, 구조관련(벌집제거, 가스누출, 동물구조, 위치추적, 시건 개방, 안전조치, 신변확인 등)활동 및 훈련, 교육, 캠페인, 대민지원, 근접배치, 순찰 등 상황에 맞게 선택·기록한다.

④ **미이송**

○ 미 이송인 경우 그 사유를 구분하여 해당 항목에 ✓로 체크하여 기록한다.

○ 이송거부 또는 이송거절의 경우 반드시 별지 제2호 서식의 확인서를 작성한다.

○ 해당 항목 선택 우선(기타 항목 등 직접 입력은 최소화하고 코드 체크 후 세부항목 선택은 단말기 또는 시스템 상에서 선택, 기록한다.)

코드 및 표기 방법	**[ ]취소** : 취소, 상황실 귀소 또는 취소지령 **[ ]다른차량** : 경찰차, 자가용, 택시, 병원차, 헬기 **[ ]환자 없음** : 미발생의 경우 **[ ]현장처치** : 현장 처치만으로 증상이 호전된 경우 **[ ]이송거부** : 환자 등(가족, 만취자, 보호자, 기타)이 이송을 원하지 않음 **[ ]이송거절** : 이송의 필요성이 없어 구급대원이 이송하지 않음 **[ ]경찰인계** : 경찰관에게 인계한 경우 **[ ]이송 불필요** : 환자회복, 단순주취, 노숙인, 보호자인계, 자체처리, 단순거동불편 등 **[ ]사망** : 명백한 사망의 징후가 있는 경우 [ ]기타 : **장비관리(산소충전, 감염관리실 소독)**, 허위, 기타( )

10. 이송자

이송자	의사	소속: 성명: (서명 또는 인)				
	구급대원(1)	[ ]1급 [ ]2급 [ ]간호사 [ ]구급교육 [ ]기타	계급		성명	(서명 또는 인)
	구급대원(2)	[ ]1급 [ ]2급 [ ]간호사 [ ]구급교육 [ ]기타	계급		성명	(서명 또는 인)
	운전요원	[ ]1급 [ ]2급 [ ]간호사 [ ]구급교육 [ ]기타	계급		성명	(서명 또는 인)
장애요인	[ ]없음[ ]장거리이송([ ]보호자요구[ ]원거리병원)[ ]원거리출동[ ]만취자[ ]폭행[ ]언어폭력[ ]환자과체중[ ]기관협조미흡[ ]환자위치불명확[ ]교통정체[ ]폭우[ ]폭설[ ]기타( )					
일련번호	-	재난번호	-		뒷장이 동시에 기록되도록 제작	

210mm×297mm[백상지(80g/㎡) 또는 중질지(80g/㎡)]

① 이송자

- ○ 환자 이송에 참여한 사람에 대한 정보를 기록한다.
- ○ 이송자 중 구급대원(1)은 전문자격증(응급구조사 1급, 2급, 간호사 등)이 상위대원을 기록한다.
- ○ 이송자 중 구급대원(2)은 전문자격증(응급구조사 1급, 2급, 간호사 등)이 차상위대원을 기록한다.

코드 및 표기 방법	- 의사 : 소속, 성명을 문자로 기록하고 서명을 받음 - 구급대원 및 운전요원 : 다음의 해당 항목을 빠짐없이 기록하고 각각의 서명을 받음 (1) 자격: [ ]1급 [ ]2급 [ ]간호사 [ ]구급교육 [ ]기타 (2) 계급 (3) 성명

11. 장애요인

<table>
<tr><td rowspan="4">이송자</td><td>의사</td><td colspan="5">소속: 성명: (서명 또는 인)</td></tr>
<tr><td>구급대원(1)</td><td>[ ]1급 [ ]2급 [ ]간호사 [ ]구급교육 [ ]기타</td><td>계급</td><td></td><td>성명</td><td>(서명 또는 인)</td></tr>
<tr><td>구급대원(2)</td><td>[ ]1급 [ ]2급 [ ]간호사 [ ]구급교육 [ ]기타</td><td>계급</td><td></td><td>성명</td><td>(서명 또는 인)</td></tr>
<tr><td>운전요원</td><td>[ ]1급 [ ]2급 [ ]간호사 [ ]구급교육 [ ]기타</td><td>계급</td><td></td><td>성명</td><td>(서명 또는 인)</td></tr>
<tr><td>장애요인</td><td colspan="6">[ ]없음[ ]장거리이송([ ]보호자요구[ ]원거리병원)[ ]원거리출동[ ]만취자[ ]폭행[ ]언어폭력[ ]환자과체중[ ]기관협조미흡[ ]환자위치불명확[ ]교통정체[ ]폭우[ ]폭설[ ]기타( )</td></tr>
<tr><td>일련번호</td><td>-</td><td>재난번호</td><td>-</td><td colspan="3">뒷장이 동시에 기록되도록 제작</td></tr>
</table>

210mm×297mm[백상지(80g/㎡) 또는 중질지(80g/㎡)]

① 장애요인

○ 구급활동 중 해당 이송건의 구급대 활동 장애요인을 모두 선택한다. ※ 복수 선택 가능

○ 장애요인이 없는 경우에도 없음에 체크한다.

<table>
<tr><td>코드 및 표기 방법</td><td>[ ]없음
[ ]장거리이송 : 현장에서 이송병원까지 소요시간이 30분 이상 소요되는 것을 말함
[ ]보호자 요구인지 [ ]원거리 병원인지 해당 항목에 √로 체크함.
[ ]원거리출동 : 출동에서 환자 접촉한 소요시간이 30분 이상 소요되는 것을 말함
[ ]만취자 : 본인 스스로 거동이 불가능한 상태 또는 음주상태로 비이상적 언행을 하는 자를 말함
[ ]폭행 : 직·간접적인 신체접촉 몸싸움, 구타 등을 말함
[ ]언어폭력 : 성추행, 욕설, 협박 등을 말함
[ ]환자 과체중 : 90kg 이상인 자를 말함
[ ]기관협조 미흡
[ ]환자위치 불명확
[ ]교통정체
[ ]폭우
[ ]폭설
[ ]기타( ) : 위의 어느 사항에도 해당하지 않는 경우, 자세히 기록</td></tr>
</table>

12. 일련번호

이송자	의사	소속: 성명: (서명 또는 인)				
	구급대원(1)	[ ]1급 [ ]2급 [ ]간호사 [ ]구급교육 [ ]기타	계급		성명	(서명 또는 인)
	구급대원(2)	[ ]1급 [ ]2급 [ ]간호사 [ ]구급교육 [ ]기타	계급		성명	(서명 또는 인)
	운전요원	[ ]1급 [ ]2급 [ ]간호사 [ ]구급교육 [ ]기타	계급		성명	(서명 또는 인)
장애요인	[ ]없음[ ]장거리이송([ ]보호자요구[ ]원거리병원)[ ]원거리출동[ ]만취자[ ]폭행[ ]언어폭력[ ]환자과체중[ ]기관협조미흡[ ]환자위치불명확[ ]교통정체[ ]폭우[ ]폭설[ ]기타( )					
일련번호	-	재난번호	-		뒷장이 동시에 기록되도록 제작	

210mm×297mm[백상지(80g/㎡) 또는 중질지(80g/㎡)]

① **일련번호**

○ 구조구급활동정보시스템 구급보고서 번호 정보를 참고하여 기재하도록 한다.

② **재난번호**

○ 긴급구조표준에서 해당 재난에 부여해주는 고유 번호를 기록한다.
(단, 단말기의 경우 자동으로 표출 됨)

■ 119구조·구급에 관한 법률 시행규칙 [별지 제6호서식]

(앞쪽)

심폐정지환자 응급처치 세부상황표

결재	119구급대장(센터장)

구급활동기록지 일련번호 :

구분						
심정지 상황	심폐정지 발생시간(추정) 20 . . . :					
심정지 상황	발생장소	[ ]공공장소	[ ]비공공장소	[ ]구급차 안	[ ]미상	
심정지 상황	발생장소	[ ]도로/고속도로 [ ]공공건물(학교, 공공기관 등) [ ]여가시설(공원, 경기장, 공연장, 극장, 해변, 유원지 등) [ ]산업시설(공장, 공사장, 창고 등) [ ]상업시설(상점, 식당, 술집, 호텔 등) [ ]교통시설(철도역사,지하철역사,버스정류장,공항,버스내,열차내,비행기내 등) [ ]기타( )	[ ]집(주차장, 마당 포함) [ ]집단거주시설(기숙사, 군대 등) [ ]요양기관(양로원, 요양원) [ ]의료기관 [ ]농장	[ ]기타 ( )		
심정지 상황	발견자 / 환자와의 관계	[ ] 일반인	[ ] 근무 중 관련 종사자	[ ] 근무 중이 아닌 관련 종사자	[ ] 미상	
심정지 상황	발견자 / 환자와의 관계	[ ]가족 [ ]행인(주위 사람) [ ]동료(친구) [ ]기타( )	[ ]의료인 [ ]소방공무원 [ ]경찰 [ ]보건교사 [ ]체육시설안전담당자 [ ]인명구조원 [ ]여객/운송 사업용 자동차의 운전자 [ ]산업안전보건교육 대상자 [ ]관광산업 종사자 중 의료, 안전관련 담당자	[ ]소방공무원 [ ]의료인		
심정지 상황	발견자 / 심정지 목격 여부	[ ]미상 [ ]목격되지 않음 [ ]목격함 ■목격(추정)시각(:)				
심정지 상황	발견자 / 심정지 상태 확인	[ ]의식 [ ]호흡 [ ]맥박 [ ]AED를 이용한 심전도 (중복 표기)				
심정지 상황	발견자 / 처치 내용	■ 심폐소생술 실시 여부 [ ]미상 [ ]심폐소생술 시행 않음 [ ]심폐소생술 시행함 ■ 심폐소생술 시작(추정)시각				
심정지 상황	발견자 / 처치 내용	■ 자동심장충격기 부착 여부 [ ]미상 [ ]자동심장충격기 부착하지 않음 [ ]자동심장충격기 부착함				
심정지 상황	발견자 / 처치 내용	■ 제세동 실시 여부 [ ]미상 [ ]제세동 실시하지 않음 [ ]제세동 실시함				
심정지 상황	발견자 / 구급차 도착전 지도	[ ]없음 [ ]구급대원 [ ]소방상황실 [ ]기타( )				

구분				
심폐소생술 및 제세동	구급대 심폐소생술 실시여부	[ ]아니요	[ ]예(심폐소생술 시작 시각 :)	
심폐소생술 및 제세동	구급대 심폐소생술 실시여부	■ 심폐소생술 유보 사유 [ ]명백한 사망(머리, 체간(體幹)의 절단, 부패 등) [ ]DNR 처방 보유 [ ]보호자 거부 [ ]의료지도 [ ]기타( )	■ 심폐소생술 시행 처치(중복 표기) [ ]기도확보 [ ]호흡확보 [ ]흉부압박 [ ]기계식 압박장치 사용(장치 종류:) [ ]기타 처치( )	
심폐소생술 및 제세동	구급대 심장충격기 사용여부	[ ]비부착	[ ]부착함(AED 이용 심전도 리듬 확인시각 :) * AED 이용 심전도 출력물 뒷면 첨부	
심폐소생술 및 제세동	구급대 심장충격기 사용여부		■ 확인장소 [ ]현장 [ ]구급차 내 [ ]기타( )	
심폐소생술 및 제세동	구급대 심장충격기 사용여부		■ AED 이용 심전도 소견(심정지 발생시 최초 소견)	
심폐소생술 및 제세동	구급대 심장충격기 사용여부		[ ]감시하지 않음 [ ]심실세동(VF) [ ]무맥성 심실빈맥(Pulseless VT) [ ]불명료한 제세동 가능 리듬	[ ]기타( ) [ ]무맥성 전기활동(PEA) [ ]무수축 (Asystole) [ ]불명료한 제세동 불가능 리듬 [ ]서맥(Bradycardia) [ ]미상
심폐소생술 및 제세동	구급대 제세동	[ ]실시 않음	[ ]실시함 (실시 횟수: 회)	
심폐소생술 및 제세동	구급대 제세동	■ 제세동 미실시 이유 [ ]미적응증 [ ]기기상태 불량 [ ]가족 거부 [ ]기타( )	■ 최초 제세동 실시 시각 : ■ 심전도 리듬 [ ]VF [ ]Pulseless VT [ ]불명료한 제세동 가능 리듬 ■ 제세동 실시 결과 [ ]제세동 리듬 지속 [ ]제세동 리듬 제거	
심폐소생술 및 제세동	전문기도유지술	[ ]실시하지 않음 [ ]Intubation [ ]성문외 기도유지기(supraglottic airway) [ ]기타( )		

구분			
소생술 중지	심폐소생술 중지	■ 중지 시각 :	
소생술 중지	심폐소생술 중지	■ 중지 이유 [ ]자발순환 회복 [ ]병원 인계 [ ]명백한 사망 [ ]보호자 거부 [ ]의료지도 [ ]기타( )	
소생술 중지	병원 도착전 자발순환 회복	[ ]없음	[ ]있음(자발순환 회복 시각 :)
소생술 중지	병원 도착전 자발순환 회복		■ 회복장소 [ ]현장 [ ]구급차 내 [ ]기타( )

구분			
의료지도	[ ]요청하지 않음	[ ]요청 실패	[ ]요청함
의료지도		[ ]통신 실패 [ ]지도의사 부재 [ ]지도 거부 [ ]기타( )	■ 의료지도의사 소속 [ ]소방상황실 [ ]이송병원 [ ]의료지도위탁병원 [ ]기타( ) ■ 의료지도 내용(중복 표기) [ ]환자평가 [ ]현장처치 [ ]병원선정 [ ]CPR유보·중단 [ ]기타( ) ■ 의료지도 내용·처치(중복 표기) [ ]기도확보([ ]airway [ ]Intubation [ ]supraglottic airway [ ]기타) [ ]산소투여 [ ]BVM [ ]CPR [ ]ECG [ ]AED [ ]약물투여 [ ]순환보조([ ]정맥로 확보 [ ]MAST) [ ]고정([ ]경추고정 [ ]척추고정 [ ]부목고정) [ ]상처처치([ ]지혈 [ ]상처드레싱) [ ]혈당체크 [ ]보온 [ ]기타(안위 도모 및 안정 포함) ■ 지도사항 수행 [ ]예 [ ]아니요 ■ 지도사항 미수행 시 사유 [ ]병원 도착 [ ]환자 거부 [ ]장비 부재/고장 [ ]숙련도 부족 [ ]기타( )
병원 사전 연락	[ ]아니요	[ ]연락 실패	[ ]예
담 당 자	[ ]의사 [ ]간호사 [ ]1급 응급구조사 [ ]2급 응급구조사	계급: 성명:	(서명 또는 인)

210mm×297mm[백상지(80g/㎡) 또는 중질지(80g/㎡)]

CHAPTER 09 심폐정지환자 응급처치 세부상황표 작성요령

1. 일반정보

<table>
<tr><td rowspan="2">심폐정지환자 응급처치 세부 상황표

구급활동일지 일련번호 :</td><td rowspan="2">결재</td><td>119구급대장(센터장)</td></tr>
<tr><td></td></tr>
</table>

① 구급활동일지 일련번호

- ○ 심폐정지환자 응급처치 세부 상황표에 구급활동일지상의 일련번호를 기입하도록 한다.
- ○ 구조구급활동정보시스템 보고번호 정보를 참고하여 기재하도록 한다.
- ○ 결재란의 경우 구급대로 운영하는 지역은 119구급대장, 미운영하는 지역은 안전센터장이 결재하도록 한다.

2. 심정지 상황

<table>
<tr><td rowspan="11">심정지
상황</td><td colspan="6">심폐정지 발생시간(추정) 20 . . . :</td></tr>
<tr><td rowspan="2">발
생
장
소</td><td colspan="2">[ ]공공장소</td><td>[ ]비공공장소</td><td>[ ]구급차 안</td><td>[ ]미상</td></tr>
<tr><td colspan="2">[ ]도로/고속도로 [ ]공공건물(학교, 공공기관 등)
[ ]여가시설(공원, 경기장, 공연장, 극장, 해변, 유원지 등)
[ ]산업시설(공장, 공사장, 창고 등)
[ ]상업시설(상점, 식당, 술집, 호텔 등)
[ ]교통시설(철도역사,지하철역사,버스정류장,공항,버스내,열차내,비행기내 등)
[ ]기타( )</td><td>[ ]집(주차장, 마당 포함)
[ ]집단거주시설(기숙사, 군대 등)
[ ]요양기관(양로원, 요양원)
[ ]의료기관
[ ]농장</td><td>[ ]기타
( )</td><td></td></tr>
<tr><td rowspan="8">발
견
자</td><td rowspan="2">환자와의 관계</td><td>[ ]일반인</td><td>[ ]근무 중 관련 종사자</td><td>[ ]근무 중이 아닌 관련 종사자</td><td>[ ]미상</td></tr>
<tr><td>[ ]가족
[ ]행인(주위 사람)
[ ]동료(친구)
[ ]기타( )</td><td>[ ]의료인 [ ]소방공무원 [ ]경찰 [ ]보건교사
[ ]체육시설안전담당자 [ ]인명구조원
[ ]여객/운송 사업용 자동차의 운전자
[ ]산업안전보건교육 대상자
[ ]관광산업 종사자 중 의료, 안전관련 담당자</td><td>[ ]소방공무원
[ ]의료인</td><td></td></tr>
<tr><td>심정지 목격 여부</td><td colspan="4">[ ]미상 [ ]목격되지 않음 [ ]목격함 ■목격(추정)시각(:)</td></tr>
<tr><td>심정지 상태 확인</td><td colspan="4">[ ]의식 [ ]호흡 [ ]맥박 [ ]AED를 이용한 심전도 (중복 표기)</td></tr>
<tr><td rowspan="3">처치 내용</td><td colspan="4">■심폐소생술 실시 여부
[ ]미상 [ ]심폐소생술 시행 않음 [ ]심폐소생술 시행함 ■심폐소생술 시작(추정)시각</td></tr>
<tr><td colspan="4">■자동심장충격기 부착 여부 [ ]미상 [ ]자동심장충격기 부착하지 않음 [ ]자동심장충격기 부착함</td></tr>
<tr><td colspan="4">■제세동 실시 여부 [ ]미상 [ ]제세동 실시하지 않음 [ ]제세동 실시함</td></tr>
<tr><td>구급차 도착전 지도</td><td>[ ]없음</td><td>[ ]구급대원</td><td>[ ]소방상황실</td><td>[ ]기타( )</td></tr>
</table>

① 심폐정지 발생시간(추정)

심정지상황	심폐정지 발생시간(추정) 20 . . . :

○ 심정지가 발생했을 것으로 추정하는 일시를 기록한다.

○ 심정지가 발생일시를 추정할 수 있다면 추정시각을 알 수 있는 수준까지 조사한다.

○ 추정시간은 발견자나 이야기를 전해들은 제3자의 발언을 근거로 기록하며, 근거가 없을 경우 마지막 발견시간을 조사하며 추정할 수 있는 가장 가까운 시간을 기록한다.

○ 근거가 없을 경우 마지막 목격시간(Last Normal Time)을 조사하여 기록한다.

※ 해당년도는 알지만 월/일/시 등을 알 수 없는 경우 : 미상 99로 표시
(예 : 해당년도+ 99월 99일 99시 99분 기록)

○ 위의 경우에 해당하지 않을 경우 미상 처리한다.

○ 조사대상 : 가족이나 목격자 진술

② 발생장소

심정지상황	발생장소	[ ]공공장소	[ ]비공공장소	[ ]구급차 안	[ ]미상
		[ ]도로/고속도로 [ ]공공건물(학교, 공공기관 등) [ ]여가시설(공원, 경기장, 공연장, 극장, 해변, 유원지 등) [ ]산업시설(공장, 공사장, 창고 등) [ ]상업시설(상점, 식당, 술집, 호텔 등) [ ]교통시설(철도역사, 지하철역사, 버스정류장, 공항 등) [ ]기타( )	[ ]집(주차장, 마당 포함) [ ]집단거주시설(기숙사, 군대 등) [ ]요양기관(양로원, 요양원) [ ]의료기관 [ ]농장	[ ]기 타 (________)	

○ 심정지 환자 발생장소를 파악하여 ✓로 체크한다.

○ 최대한 공공장소, 비공공장소 구분에 맞춰 조사하도록 함.

표기방법 및 유의할 점	**[ ]공공장소** **[ ]도로/고속도로** **[ ]공공건물 (학교, 공공기관 등)** **[ ]여가관련장소(공원, 경기장, 공연장, 극장, 해변, 유원지 등)** **[ ]산업시설(공장, 공사장, 창고 등)** **[ ]상업시설(상점, 식당, 술집, 호텔, 휴게소 등)** **[ ]터미널(철도역사, 지하철역사, 버스정류장, 공항 등)** **[ ]기타 공공장소( )** : 인도, 철도, 교회 경로당, 육교 등.. **※ 자세히 기록** **[ ]비공공장소** : 일반적으로 생활을 하는 공간인 경우를 분류함. **[ ]집(주차장, 마당 포함)** **[ ]집단거주시설(기숙사, 군대, 감옥 등)** **[ ]요양기관(양로원, 요양원 등)** : 양로시설, 노인요양시설 등등.. **[ ]의료기관 :** 의료인이 공중 또는 특정 다수인을 위하여 의료, 조산의 업을 하는 곳. 종합병원, 병원, 치과병원, 한방병원, 요양병원, 의원, 치과의원, 한의원, 조산원 **[ ]농장** **[ ]구급차 안** **[ ]기타( )** : 공공장소, 비공공장소로 구분이 안 되는 경우 **※ 자세히 기록** 예) 한강다리 밑, 산, 강, 계곡, 하천, 바다, 저수지, 묘지 등 **※ 예외 : 한강/저수지 유원지는 여가관련장소** **[ ]미상**: 발생장소를 알 수 없는 경우
조사대상	가족이나 목격자 진술 및 환자 위치

③ 발견자-환자와의 관계

<table>
<tr><td rowspan="2">심
정
지
상
황</td><td rowspan="2">발
견
자</td><td rowspan="2">환자와의 관계</td><td>[ ]일반인</td><td>[ ]근무 중 관련 종사자</td><td>[]근무 중이 아닌
관련 종사자</td><td>[ ]미상</td></tr>
<tr><td>[ ]가족
[ ]행인(주위 사람)
[ ]동료(친구)
[ ]기타(　　　)</td><td>[ ]의료인 [ ]소방공무원 [ ]경찰 [ ]보건교사
[ ]체육시설안전담당자 [ ]인명구조원
[ ]여객/운송 사업용 자동차의 운전자
[ ]산업안전보건교육 대상자
[ ]관광산업 종사자 중 의료, 안전관련 담당자</td><td>[]소방공무원
[]의료인</td><td></td></tr>
</table>

○ 해당 환자의 심 정지를 발견/목격한 사람의 자격□관계를 확인하여 기록한다.

<table>
<tr><td>표기방법 및
유의할 점</td><td>[ ]일반인: 세부항목까지 조사함.
[ ]가족
[ ]행인(주위사람) : 지나가던 사람 등이 환자와 개인적 친분이 없는 사람 예) 주변인
[ ]동료(친구)
[ ]기타(　)
[ ]근무 중 관련 종사자 : 응급의료에 관한 법률 제14조 규정에 따른'구조 및 응급처치교육' 대상자 중 일부
[ ]의료인 [ ]소방공무원 [ ]경찰 [ ]보건교사 [ ]체육시설 안전담당자 [ ]인명구조원
[ ]여객/운송사업용 자동차의 운전자　　[ ]산업안전보건교육 대상자
[ ]관광사업 종사자 중 의료, 안전관련 담당자
[ ]근무 중이 아닌 다음 직종 : <u>위에 속하지 않는 직종</u> 또는 <u>비근무중인 위의 직종</u>
[ ]소방공무원 [ ]의료인 [ ]미상</td></tr>
<tr><td>조사대상</td><td>*조사대상: 가족이나 목격자 진술</td></tr>
</table>

④ 발견자 – 심정지 목격여부(심정지 목격시각)

심정지상황	발견자	심정지 목격 여부	[ ]미상　　[ ]목격되지 않음　　[ ]목격함　　■목격(추정)시각(:)

○ 타인이 심 정지를 목격하거나 심정지가 생겼다는 이야기를 전해들은 경우 혹은 모니터 하는 중 심정지가 감시된 경우를 파악하여 ✓로 체크하고 심정지가 목격된 시간을 기록한다.

○ 목격된 상황과 목격되지 않은(발견됨) 상황을 구분해서 기록한다.

○ 조사대상 : 가족이나 목격자 진술(환자 위치)

표기방법 및 유의할 점	**[ ]미상** **[ ]목격되지 않음** : 목격된 것이 아니라 발견된 것으로 간주. 예) 외출 후 돌아와 보니 목욕탕에 쓰러져 있었음. **[ ]목격됨** 예) 목욕탕에서 쓰러지는 소리가 들려 곧바로 가보니 환자가 쓰러져 있었음. 119 구급대로 이송 중 모니터링에서 심정지 발생을 발견함. **[ ]목격(추정)시각(:)** : 심정지 목격됨에 해당하는 경우 심정지 목격시간에 관련된 정보를 수집하여 기록함.(미상일 경우 99:99 기록)

⑤ 발견자 – 심정지 상태 확인(중복표기)

심정지상황	발견자	심정지 상태 확인(중복 표기)	[ ]의식	[ ]호흡	[ ]맥박	[ ]AED를 이용한 심전도

○ 환자가 병원 전 단계 당시에 심정지 상태라고 판단한 객관적인 근거를 확인하여 심정지 진단의 정확성을 분석한다. ※ 복수 선택 가능

○ 심정지의 정의는 의식, 맥박, 호흡이 모두 없는 경우이다.

표기 방법	**[ ]의식** **[ ]호흡** **[ ]맥박** **[ ]AED를 이용한 심전도**
조사대상/조사주체	조사대상 : 환자/ 조사주체 : 발견자

⑥ 발견자 역할–처치내용

심정지상황	발견자	처치내용	■발견자 심폐소생술 실시 여부 [ ]미상 [ ]심폐소생술 시행 않음 [ ]심폐소생술 시행함 ■심폐소생술 시작(추정)시각
			■발견자 자동심장충격기 부착 여부 [ ]미상 [ ]자동심장충격기 부착하지 않음 [ ]자동심장충격기 부착함
			■발견자 제세동 실시 여부 [ ]미상 [ ]제세동 실시하지 않음 [ ]제세동 실시함

○ 응급의료체계에 속하지 않은 사람에 의해 심정지 환자에게 심폐소생술 및 자동심장충격기 부착, 제세동 시행되는 것을 파악하여 기록한다.

○ 심폐소생술이 실시된 추정 시각을 기재한다.

○ 응급구조사, 의사, 간호사가 현장에서 CPR, 자동심장충격기 사용 및 제세동을 했더라도 응급의료체계(우리나라의 경우 119 구급대 또는 병원 내 CPR팀)에 속하지 않은 경우 일반인이 CPR, 자동심장충격기 사용 및 제세동을 한 것으로 처리함.

표기 방법 및 유의할 점	**■발견자 심폐소생술 실시 여부** **[ ]미상** **[ ]심폐소생술 시행하지 않음 : 심폐소생술 유보 사유를 기록함.** **[ ]심폐소생술 시행함** : 흉부압박 **또는/그리고** 호흡보조를 실시한 경우를 말함. **※ 시작시각과 시행처치를 기록함.** ■심폐소생술 시작(추정)시각 : HHMM (미상일 경우 **99:99)** **■발견자 자동심장충격기 부착여부** **[ ]미상** **[ ]자동심장충격기 부착하지 않음** **[ ]자동심장충격기 부착함** : 자동심장충격기(AED)를 적용한 경우는 자동심장충격기 적용으로 심전도 분석을 시행한 것으로써, 제세동(쇽) 시행 여부와는 상관없음. **■발견자 제세동 실시여부** **[ ]미상** **[ ]제세동 실시하지 않음** **[ ]제세동 실시함** : 자동심장충격기(AED)를 부착하고 자동심장충격기의 명령에 따라 제세동(쇼크)을 실시한 것임.
조사대상	가족이나 목격자 진술 및 환자(위치)

⑦ 발견자 역할–구급차 도착전 지도

심정지상황	발견자역할	구급차 도착 전 지도	[ ]없음	[ ]구급대원	[ ]소방상황실	[ ]기타(　　　)

○ 구급차 도착 전까지 발견/목격자가 처치지도를 받았는지 확인하고 지도를 한 기관에 ✓로 체크한다.

표기 방법	**[ ]없음 [ ]구급대원 [ ]소방상황실 : 119구급상황관리센터를 포함한다.** **[ ]기타(　　)** : 위에 해당하지 않는 경우, 구체적으로 기록
조사대상	가족이나 목격자 진술

3. 심폐소생술 및 제세동

<table>
<tr><td rowspan="9">심폐소생술 및 제세동</td><td rowspan="2">구급대 심폐소생술 실시여부</td><td colspan="3">[ ]아니요</td><td colspan="2">[ ]예(심폐소생술 시작 시각 :)</td></tr>
<tr><td colspan="3">■심폐소생술 유보 사유
[ ]명백한 사망(머리, 체간(體幹)의 절단, 부패 등)
[ ]DNR 처방 보유 [ ]보호자 거부 [ ]의료지도 [ ]기타</td><td colspan="2">■심폐소생술 시행 처치(중복 표기)
[ ]기도확보 [ ]호흡확보 [ ]흉부압박
[ ]기계식 압박장치 사용(장치 종류:)[ ]기타 처치( )</td></tr>
<tr><td rowspan="4">구급대 심장충격기 사용여부</td><td>[ ]비부착</td><td colspan="4">[ ]부착함(AED 이용 심전도 리듬 확인시각 :) * AED 이용 심전도 출력물 뒷면 첨부</td></tr>
<tr><td rowspan="3"></td><td colspan="4">■확인장소 [ ]현장 [ ]구급차 내 [ ]기타( )</td></tr>
<tr><td colspan="4">■AED 이용 심전도 소견(심정지 발생시 최초 소견)</td></tr>
<tr><td colspan="2">[ ]감시하지 않음
[ ]심실세동(VF)
[ ]무맥성 심실빈맥(Pulseless VT)
[ ]불명료한 제세동 가능 리듬</td><td>[ ]기타( )
[ ]무맥성 전기활동(PEA)
[ ]무수축 (Asystole)
[ ]불명료한 제세동 불가능 리듬</td><td>[ ]서맥(Bradycardia)
[ ]미상</td></tr>
<tr><td rowspan="2">구급대 제세동</td><td colspan="2">[ ]실시 않음</td><td colspan="3">[ ]실시함 (실시 횟수: 회)</td></tr>
<tr><td colspan="2">■제세동 미실시 이유
[ ]미적응증 [ ]기기상태 불량
[ ]가족 거부 [ ]기타( )</td><td colspan="3">■최초 제세동 실시 시각 :
■심전도 리듬 [ ]VF [ ]Pulseless VT [ ]불명료한 제세동 가능 리듬
■제세동 실시 결과 [ ]제세동 리듬 지속 [ ]제세동 리듬 제거</td></tr>
<tr><td>전문기도유지술</td><td colspan="5">[ ]실시하지 않음 [ ]Intubation [ ]성문외 기도유지기(supraglottic airway) [ ]기타( )</td></tr>
</table>

① 구급대 심폐소생술 실시여부

<table>
<tr><td rowspan="2">심폐 소생술 및 제세동</td><td rowspan="2">구급대 심폐소 생술 실시여부</td><td>[ ]아니요</td><td>[ ]예(심폐소생술 시작 시각 :)</td></tr>
<tr><td>■심폐소생술 유보 사유
[ ]명백한 사망(머리, 체간(體幹)의 절단, 부패 등)
[ ]DNR 처방 보유 [ ]보호자 거부
[ ]의료지도 [ ]기타( )</td><td>■심폐소생술 시행 처치(중복 표기)
[ ]기도확보 [ ]호흡확보 [ ]흉부압박
[ ]기계식 압박장치 사용(장치 종류:
[ ]기타 처치( )</td></tr>
</table>

- 119구급대의 병원 전 심정지 환자에게 시행한 심폐소생술 여부를 파악하여 기록한다.
- 응급구조사, 의사, 간호사가 현장에서 CPR을 했더라도 응급의료체계(우리나라의 경우 119 구급대 또는 병원 내 CPR팀)에 속하지 않은 경우 일반인이 CPR로 처리한다.

<table>
<tr><td>표기 방법 및
유의할 점</td><td>[ ]아니요 : 119 구급대의 병원 전 심정지 환자에게 심폐소생술이 시행되지 않은 경우 √로 체크하고 심폐소생술 유보 사유를 기록함.
■심폐소생술 유보 사유
[ ]명백한 사망(두부, 체간의 절단, 부패 등) : 다른 선택사항에 우선함.
※ 예) 교통사고 환자의 두개골 파열에 의한 뇌조직 유출로 의료지도 후 심폐소생술 유보 → "명백한 사망"으로 기록
[ ]DNR 처방 보유 : 다른 선택사항에 우선함.
※ 예) 심정지 발생 환자가 DNR 처방 보유하였으며, 환자의 보호자들이 CPR을 거부하여 의료지도 후 심폐소생술 유보 → "DNR 처방 보유"로 기록
[ ]보호자 거부
[ ]의료 지도
[ ]기타 (   ) : 위에 해당하지 않는 모든 사유. 구체적으로 기록
[ ]예 : 119 구급대에 의해 심폐소생술이 시행된 경우 √로 체크하고 시작시각과 시행처치를 기록함.
(심폐소생술 시작 시각 :) : 미상일 경우 99:99로 기록
■심폐소생술 시행 처치(중복표기) : 구급대의 병원전 심정지 환자에게 CPR이 시행된 경우 처치 종류를 기록함. ※ 복수 선택 가능
[ ]기도확보 : jaw thrust, head tilt, chin lift의 방법 등을 사용한 경우와 눈에 보이는 이물질을 제거한 경우
[ ]호흡확보 : 입 대 입, 코 대 입, ambu bagging, 전문기도유지술 등을 포함함.
[ ]흉부압박
[ ]기계식 압박 장치 사용(장치 종류 :   )
[ ]기타처치( ) : 위에 해당하지 않는 모든 처치. 구체적으로 기록</td></tr>
</table>

② 구급대 심장충격기 사용여부

<table>
<tr><td rowspan="4">심폐
소생술
및
제세동</td><td rowspan="4">구 급 대
심장충격기
사용여부</td><td>[ ]비부착</td><td colspan="3">[ ]부착함(AED 이용 심전도 리듬 확인시각   :   ) * AED 이용 심전도 출력물 뒷면 첨부</td></tr>
<tr><td rowspan="3"></td><td colspan="3">■확인장소 [ ]현장 [ ]구급차 내 [ ]기타(   )</td></tr>
<tr><td colspan="3">■AED 이용 심전도 소견(심정지 발생시 최초 소견)</td></tr>
<tr><td>[ ]감시하지 않음
[ ]심실세동(VF)
[ ]무맥성 심실빈맥(Pulseless VT)
[ ]불명료한 제세동 가능 리듬</td><td>[ ]기타(   )
[ ]무맥성 전기활동(PEA)
[ ]무수축 (Asystole)
[ ]불명료한 제세동 불가능 리듬</td><td>[ ]서맥(Bradycardia)
[ ]미상</td></tr>
</table>

○ 119 구급대에 의해 심정지 환자에게 자동심장충격기(AED) 적용 여부 파악 및 심전도 분석을 시행하여 리듬 확인시각 및 장소, 심전도 리듬 종류를 기록한다.

※ 기타 심전도 모니터나 자동심장충격기의 3극 유도로 측정한 심전도 감시는 해당하지 않음.

○ **용어 정의(설명)**

– 자동심장충격기(AED)적용 : 자동심장충격기의 패드를 붙여 심전도 분석을 시행한 것을 말함.

– 심실세동, 무맥성 심실빈맥, 불명료한 제세동 가능리듬 : 자동심장충격기 명령에 따라 병원 전 제세동을 시행한 경우.

– 무맥성 전기활동, 무수축, 서맥, 불명료한 제세동 불가능리듬 : 적용하였으나 제세동 불가능 리듬인 경우.

표기 방법	**[ ]비부착** : 기타 심전도 감시 장치나 심장충격기의 3극 유도를 부착한 경우에 해당함. **[ ]부착함** : ※ 심전도 리듬 확인시각 및 장소, 심전도 소견을 기록함. * AED 이용 심전도 출력물 뒷면 첨부 **(AED 이용 심전도 리듬 확인 시각 :)** : 시작 시각 미상일 경우 **99:99**로 기록 **■확인장소** : 구급대에 의해 자동심장충격기 이용하여 최초 심전도 리듬확인이 실시된 장소 **[ ]현장 [ ]구급차 내 [ ]기타 ( )** **■AED 이용 심전도 소견(심정지 발생시 최초 소견)** : 구급대에 의해 심정지 환자에게 병원 도착 전 자동심장충격기를 이용하여 확인된 심전도 리듬을 기록함. **[ ]감시하지 않음** : 병원 전 자동심장충격기(AED)의 패드를 부착하지 않거나, 적용하지 않은 경우 **[ ]심실세동(VF) [ ]무맥성 심실빈맥(pulseless VT)** **[ ]불명료한 제세동 가능 리듬 (unknown shockable rhythm) [ ]무맥성 전기활동(PEA)** **[ ]무수축(asystole) [ ]서맥(bradycardia)** **[ ]불명료한 제세동 불가능 리듬 (unknown unshockable rhythm)** **[ ]기타** : 위에 해당하지 않는 리듬 종류 **기록** **[ ]미상** : 병원 전 자동심장충격기(AED) 적용 여부를 알 수 없는 경우

③ 구급대 제세동

심폐소생술 및 제세동	구급대 제세동	[ ]실시 않음	[ ]실시함 (실시 횟수: 회)
		■제세동 미실시 이유 [ ]미적응증 [ ]기기상태 불량 [ ]가족 거부 [ ]기타( )	■최초 제세동 실시 시각 : ■심전도 리듬 [ ]VF [ ]Pulseless VT [ ]불명료한 제세동 가능 리듬 ■제세동 실시 결과 [ ]제세동 리듬 지속 [ ]제세동 리듬 제거

○ 119 구급대에 의해 심정지 환자에게 자동심장충격기(AED) 적용하여 제세동(쇽)의 실시를 기록한다.

표기 방법 및 유의할 점	**[ ]실시 않음 : ※ 제세동 미실시 이유를 추가로 기록**함. **■제세동 미실시 이유** : 구급대에 의해 제세동 미실시된 이유를 기록함 **[ ]미적응증** : 구급대에 의해 심정지 환자에게 자동심장충격기(AED)가 적용되지 않거나, 적용하였으나 제세동 시행 불가능 리듬인 경우 **[ ]AED 기기상태 불량 [ ]가족거부 [ ]기타( )** **[ ]실시함 : ※ 제세동 실시 횟수 및 최초 제세동 실시 시각, 실시 결과를 추가로 기록**함. **(실시 횟수 회)** : 자동심장충격기(AED)를 부착하고 자동심장충격기의 명령에 따라 제세동(쇽)을 실시하며 횟수를 기록함. (미상일 경우 99로 기록) **■최초 제세동 실시 시각(:)**: 구급대에 의해 자동심장충격기 이용 제세동이 실시된 최초 시각을 기록함. (미상일 경우 99:99로 기록) ■심전도 리듬 [ ]VF [ ]Pulseless VT [ ]불명료한 제세동 가능 리듬 **■제세동 실시 결과** : 구급대에 의해 심정지 환자에게 자동심장충격기(AED) 적용하여 제세동이 실시된 이후 심전도 리듬을 기록함. **[ ]제세동 리듬 지속** : 여러 번 제세동이 실시된 경우 ※ 제세동 1번 시행한 경우 : 제세동 시행 직후의 리듬을 분석하여 입력함. **[ ]제세동 리듬 제거**

④ 전문기도유지술

심폐소생술 및 제세동	전문기도유지술	[ ]실시하지 않음 [ ]Intubation [ ]성문외 기도유지기(supraglottic airway) [ ]기타( )

○ 119구급대에 의해 심정지 환자에게 수행된 전문기도유지술을 기록한다.

표기 방법	**[ ]실시하지 않음 [ ]Intubation [ ]성문외 기도유지기(supraglottic airway) [ ]기타( )**

4. 소생술 중지

소생술 중지	심폐소생술 중지	■중지 시각 :	
		■중지 이유 [ ]자발순환 회복 [ ]병원 인계 [ ]명백한 사망 [ ]보호자 거부 [ ]의료지도 [ ]기타( )	
	병원 도착전 자발순환 회복	[ ]없음	[ ]있음(자발순환 회복 시각 :)
			■회복장소 [ ]현장 [ ]구급차 내 [ ]기타( )

① 심폐소생술 중지 시각 및 이유

○ 119 구급대에 의해 시행되던 심폐소생술이 중지된 시각 및 이유를 파악하여 기록한다.

○ 단, 심폐소생술을 시행하여 종료된 경우에만 입력한다.

표기 방법	**■중지 시각___:___** **■중지 이유** **[ ]자발순환 회복 [ ]환자의 병원 인계 [ ]명백한 사망 [ ]보호자의 거부** **[ ]의료 지도 [ ]기타 ( )**

② 병원 도착전 자발순환 회복

○ 119 구급대에 의해 심전도 모니터링상 확인된 심정지 환자의 병원 도착 전 자발순환 회복 여부를 파악하여 회복 시각 및 장소를 기록한다.

표기 방법 및 유의할 점	**[ ]없음** **[ ]있음 : 자발순환 회복 시각 및 장소를 추가로 기록함.** **(자발순환 회복 시각 ___:___)** : 심정지 환자의 병원 도착전 자발순환이 회복된 경우 시각을 기록.(미상일 경우 **99:99**로 기록) **■회복 장소** : 119 구급대에 의해 심전도 모니터링상 확인된 자발순환회복 장소 기록. **[ ]현장 [ ]구급차 내 [ ]기타( )**

5. 의료지도

<table>
<tr><td rowspan="3">의
료
지
도</td><td>[ ]요청하지 않음</td><td>[ ]요청 실패</td><td>[ ]요청함</td></tr>
<tr><td rowspan="2"></td><td>[ ]통신 실패
[ ]지도의사 부재
[ ]지도 거부
[ ]기타(_____)</td><td rowspan="2">■의료지도의사 소속
[ ]소방상황실 [ ]이송병원 [ ]의료지도위탁병원 [ ]기타(___________)
■의료지도 내용(중복 표기)
[ ]환자평가 [ ]현장처치 [ ]병원선정 [ ]CPR유보ㅁ중단 [ ]기타(___)
■의료지도 내용·처치(중복 표기)
[ ]기도확보([ ]airway [ ]Intubation [ ]supraglottic airway [ ]기타 ___)
[ ]산소투여 [ ]BVM [ ]CPR [ ]ECG [ ]AED [ ]약물투여
[ ]순환보조([ ]정맥로 확보 [ ]MAST) [ ]고정([ ]경추고정 [ ]척추고정 [ ]부목고정)
[ ]상처처치([ ]지혈 [ ]상처드레싱) [ ]혈당체크 [ ]보온 [ ]기타(안위 도모 및 안정 포함)
■지도사항 수행 [ ]예 [ ]아니요
■지도사항 미수행 시 사유
[ ]병원 도착 [ ]환자 거부 [ ]장비 부재/고장 [ ]숙련도 부족 [ ]기타( )</td></tr>
<tr><td></td></tr>
</table>

① 의료지도 요청

- ○ 119 구급대에 의해 병원 도착 전 시행된 의료지도 요청 여부를 파악하여 지도의사 소속, 지도내용 및 현장처치 등을 파악하여 기록한다.
- ○ 단, 구급대에 의해 의료지도 요청되었으나 실패한 경우에는 그 사유를 기록한다.

<table>
<tr><td rowspan="3">표기 방법
및
유의할 점</td><td colspan="3">[ ]요청하지 않음
[ ]요청 실패 : 구급대에 의해 의료지도가 요청되었으나 실패한 경우 해당됨.
※ 의료지도 요청 실패 사유에 대해 추가로 기록함.
[ ]통신 실패 [ ]지도의사 부재 [ ]지도 거부 [ ]기타( )
[ ]요청함 : 지도의사 소속 및 지도내용, 지도사항 수행 여부, 미수행시 그 사유에 대해 추가로 기록함.
■의료지도의사 소속 : 의료지도가 요청된 지도의사의 소속을 체크.
[ ]소방상황실(119구급상황관리센터 포함) [ ]이송병원 [ ]의료지도 위탁병원 [ ]기타( )
■의료지도 내용 : 의료지도의사의 지도내용 및 세부사항 기록. ※ 복수 선택 가능
[ ]환자평가 [ ]현장처치 [ ]병원선정 [ ]CPR유보중단 [ ]기타( )
■의료지도 내용·처치 : 의료지도의사의 현장처치에 대한 지도내용 및 세부사항 기록.
구급대원이 실제로 수행한 처치가 아니라 지도의사의 지도내용 기술하도록 함.
※ 복수 선택 가능.</td></tr>
<tr><td>[ ]기도확보
[ ]airway [ ]Intubation
[ ]supraglottic airway
[ ]기타( )
[ ]산소투여 [ ]BVM [ ]CPR
[ ]ECG [ ]AED</td><td>[ ]약물투여
[ ]순환보조
[ ]정맥로 확보 [ ]MAST
[ ]고정
[ ]경추고정 [ ]척추고정 [ ]부목고정
[ ]상처처치
[ ]지혈 [ ]상처드레싱</td><td>[ ]혈당체크
[ ]보온
[ ]기타
(안위도모·안정 포함)</td></tr>
<tr><td colspan="3">■지도사항 수행 : 지도의사의 의료지도 사항 수행 여부를 기록.
[ ]예 [ ]아니오
■지도사항 미수행 사유 : 지도의사의 의료지도 사항 미수행시 사유를 입력.
[ ]병원도착 [ ]환자거부 [ ]장비부재/고장 [ ]숙련도 부족 [ ]기타( )</td></tr>
</table>

6. 병원 사전 연락 및 담당자

병원 사전 연락	[ ]아니요	[ ]연락 실패	[ ]예
담 당 자	[ ]의사 [ ]간호사 [ ]1급 응급구조사 [ ]2급 응급구조사	계급: 성명: (서명 또는 인)	

210mm×297mm[백상지(80g/㎡) 또는 중질지(80g/㎡)]

① 병원 사전 연락

○ 119 구급대의 병원 사전 연락 여부를 파악하여 기록한다.

표기 방법	**[ ]아니오** **[ ]연락실패** : 병원 연락을 시도하였으나 실패한 경우 기입함. **[ ]예**

② 담당자

○ 심폐정지환자 응급처치 세부상황표를 기입한 119구급대 담당자의 자격과 성명을 기록한다.

○ 해당하는 자격 항목에 ✓로 체크하고, 계급과 성명, 서명을 기입한다.

표기 방법	**[ ]의사** **[ ]간호사** **[ ]1급 응급구조사** **[ ]2급 응급구조사** **계급:**_________ **성명:** _________**(서명 또는 인)**

7. 심전도 및 AED 기록지 사본(뒷면)

■ 작성 시 주의사항

○ 자동심장충격기의 패드를 부착하여 측정한 심전도를 부착하도록 한다.

○ 기타 심전도 모니터나 자동심장충격기의 3극 유도를 통해 측정한 심전도는 유효하지 않다.

○ 정확한 날짜, 시간이 포함되어 있어야 한다.

○ 전산에 입력 시에는 스캔하여 그림형태로 하고, 스캔한 그림이 판독 가능해야 한다.

○ 세부상황표 일지에 부착 시에는 심전도 원본을 분석하여 부착해야 한다.

CHAPTER 10 구급활동 임상 기록

구급활동 임상 기록

1-1. 구급활동 임상 기록

구급출동	신고일지	20 . . . :	환자 인적 사항	성명:	나이 세	성별: [ ]남 [ ]여
	출동시각	:				
	현장도착	:	환자 발생 장소 (택일)	[ ]집 [ ]집단거주시설 [ ]숙박시설 [ ]사무실 [ ]공장 [ ]공사장 [ ]학교 [ ]일반도로 [ ]고속도로 [ ]병원 [ ]산 [ ]공공장소 [ ]강/바다 [ ]논/밭 [ ]지하철 [ ]기타( )		
	환자접촉	:				
	현장출발	:				
	병원도착	:				

환자발생유형				
	환자 발생 장소 (택일)			[ ]집 [ ]집단거주시설 [ ]도로 [ ]도로외 교통지역 [ ]오락/문화 시설 [ ]학교/교육시설 [ ]운동시설 [ ]상업시설 [ ]의료관련시설 [ ]공장/산업/건설시설 [ ]일차산업장 [ ]바다/강/산/논밭 [ ]기타( )
	[ ]질병	병 력 ([ ]없음 [ ]미상)		[ ]고혈압 [ ]당뇨 [ ]뇌혈관질환 [ ]심장질환 [ ]폐질환 [ ]결핵 [ ]간염 [ ]간경화 [ ]알레르기 [ ]암(종류:) [ ]신부전(투석여부 :) [ ]기타( )
	[ ]질병 외	[ ]교통사고	사상자	[ ]운전자 [ ]동승자 [ ]보행자 [ ]자전거 [ ]오토바이 [ ]그 밖의 탈 것
		[ ]사고부상	원인 (택일)	[ ]낙상 [ ]추락 [ ]중독 ■화상([ ]화염 [ ]고온체 [ ]전기 [ ]물) [ ]열상 [ ]자상 [ ]그 밖의 둔상 [ ]관통상 [ ]익수 [ ]성폭행 [ ]질식 [ ]화학물질 [ ]동물/곤충 [ ]자연재해 [ ]기계 [ ]농기계 [ ]열손상 [ ]상해 [ ]기타
		[ ]비외상성 손상	원인 (택일)	[ ]중독 [ ]연기흡입 [ ]목맴/목졸림 [ ]화상 [ ]익수 [ ]질식 [ ]온열손상 [ ]한랭손상 [ ]화학물질 [ ]기타
	[ ]기타	[ ]임산부 [ ]단순주취 [ ]기타( )		

환자평가									
	환자평가	• 주 호소:			• 발생시간([ ]추정): :				
	의식상태	[ ]A [ ]V [ ]P [ ]U							사고부위
	동공반응	좌	[ ]정상 [ ]축동 [ ]산동		[ ]반응 [ ]무반응				
		우	[ ]정상 [ ]축동 [ ]산동		[ ]반응 [ ]무반응				
	활력징후	시각	혈압	맥박	호흡	체온	SpO_2	혈당체크	
		:	mmhg	회/min	회/min	℃	%	mg/dL	
		:	mmhg	회/min	회/min	℃	%	mg/dL	
	환자증상 [복수 선택]	■통증([ ]두통 [ ]흉통 [ ]복통 [ ]요통 [ ]분만진통[ ]그 외 통증) ■외상([ ]골절 [ ]탈구 [ ]염좌 [ ]열상 [ ]찰과상 [ ]타박상 [ ]절단 [ ]압궤 [ ]화상) [ ]의식장애 [ ]기도이물 [ ]기침 [ ]호흡곤란 [ ]호흡정지 [ ]심계항진 [ ]심정지 [ ]경련 [ ]발작 [ ]실신 [ ]오심/구토 [ ]설사 [ ]변비 [ ]배뇨장애 [ ]객혈 [ ]토혈 [ ]비출혈 [ ]질출혈 [ ]그 밖의 출혈 [ ]고열 [ ]저체온증 [ ]어지러움 [ ]편마비 [ ]전신쇠약 [ ]정신장애 [ ]그 밖의 이물질 [ ]기타( )							
	환자분류	[ ]응급 [ ]준응급 [ ]잠재응급 [ ]대상 외 [ ]사망([ ]추정)							

응급처치	■**기도확보**([ ]도수조작 [ ]기도유지기 [ ]기도삽관 [ ]성문외기도기 [ ]흡인기 [ ]기도폐쇄처치 ■**산소투여**: ℓ/min([ ]비관 [ ]안면마스크 [ ]비재호흡마스크 [ ]BVM [ ]산소소생기 [ ]포켓마스크 [ ]네뷸라이저 [ ]기타) ■**CPR**([ ]실시 [ ]거부 [ ]DNR [ ]유보 [ ]ECG ■**AED**([ ]Shock [ ]Monitoring) [ ]기타( ) ■**순환보조**([ ]정맥로 확보 [ ]수액공급(cc) 확보 [ ]약물투여( ) ■**고정**([ ]경추 [ ]척추 [ ]부목 [ ]머리) ■**상처처치**([ ]지혈 [ ]상처드레싱) [ ]분만 [ ]보온([ ]온 [ ]냉)

환자이송	이송 기관명		의료기관 등 선정자	[ ]구급대 [ ]119상황실 [ ]구급상황센터 [ ]환자/보호자 [ ]기타	환자 인수자	[ ]의사 [ ]간호사 [ ]응급구조사 [ ]기타
※ 본 구급대는 환자의 추가 손상 및 악화(사망 등) 방지를 위해 응급처치에 적합하고 최단시간 이내에 이송이 가능한 병원으로 이송을 권유 하였으나 씨가 원하는 병원으로 이송함에 따라 발생하는 민사·형사상 책임을 지지 않습니다. 위 내용을 고지합니다. (서명 또는 인)						
미이송	[ ]이송 거부 [ ]이송 거절 [ ]환자 없음 [ ]현장처치 [ ]사망 [ ]경찰차 [ ]병원 차량 [ ]기타					

1-2. 사례 연구

환자 사례와 관련하여 학습한 내용을 기록한다.

2-1. 구급활동 임상 기록

구급출동	신고일지	20 . . . :	환자 인적 사항	성명:	나이 세	성별: []남 []여
	출동시각	:				
	현장도착	:	환자 발생 장소 (택일)	[]집 []집단거주시설 []숙박시설 []사무실 []공장 []공사장 []학교 []일반도로 []고속도로 []병원 []산 []공공장소 []강/바다 []논/밭 []지하철 []기타( )		
	환자접촉	:				
	현장출발	:				
	병원도착	:				

환자발생유형				
	환자 발생 장소 (택일)			[]집 []집단거주시설 []도로 []도로외 교통지역 []오락/문화 시설 []학교/교육시설 []운동시설 []상업시설 []의료관련시설 []공장/산업/건설시설 []일차산업장 []바다/강/산/논밭 []기타( )
	[]질병	병 력 ([]없음 []미상)		[]고혈압 []당뇨 []뇌혈관질환 []심장질환 []폐질환 []결핵 []간염 []간경화 []알레르기 []암(종류:) []신부전(투석여부 :) []기타( )
	[]질병 외	[]교통사고	사상자	[]운전자 []동승자 []보행자 []자전거 []오토바이 []그 밖의 탈 것
		[]사고부상	원인 (택일)	[]낙상 []추락 []중독 ■화상([]화염 []고온체 []전기 []물) []열상 []자상 []그 밖의 둔상 []관통상 []익수 []성폭행 []질식 []화학물질 []동물/곤충 []자연재해 []기계 []농기계 []열손상 []상해 []기타
		[]비외상성 손상	원인 (택일)	[]중독 []연기흡입 []목맴/목졸림 []화상 []익수 []질식 []온열손상 []한랭손상 []화학물질 []기타
	[]기타	[]임산부 []단순주취 []기타( )		

환자평가									
	환자평가	• 주 호소:				• 발생시간([]추정): :			
	의식상태	[]A []V []P []U							사고부위
	동공반응	좌	[]정상 []축동 []산동			[]반응 []무반응			
		우	[]정상 []축동 []산동			[]반응 []무반응			
	활력징후	시각	혈압	맥박	호흡	체온	SpO_2	혈당체크	
		:	mmhg	회/min	회/min	℃	%	mg/dL	
		:	mmhg	회/min	회/min	℃	%	mg/dL	
	환자증상 [복수 선택]	■통증([]두통 []흉통 []복통 []요통 []분만진통[]그 외 통증) ■외상([]골절 []탈구 []염좌 []열상 []찰과상 []타박상 []절단 []압궤 []화상) []의식장애 []기도이물 []기침 []호흡곤란 []호흡정지 []심계항진 []심정지 []경련 []발작 []실신 []오심/구토 []설사 []변비 []배뇨장애 []객혈 []토혈 []비출혈 []질출혈 []그 밖의 출혈 []고열 []저체온증 []어지러움 []편마비 []전신쇠약 []정신장애 []그 밖의 이물질 []기타( )							
	환자분류	[]응급 []준응급 []잠재응급 []대상 외 []사망([]추정)							

응급처치	■**기도확보**([ ]도수조작 [ ]기도유지기 [ ]기도삽관 [ ]성문외기도기 [ ]흡인기 [ ]기도폐쇄처치 ■**산소투여**: ℓ/min([ ]비관 [ ]안면마스크 [ ]비재호흡마스크 [ ]BVM [ ]산소소생기 [ ]포켓마스크 [ ]네뷸라이저 [ ]기타) ■**CPR**([ ]실시 [ ]거부 [ ]DNR [ ]유보 [ ]ECG ■**AED**([ ]Shock [ ]Monitoring) [ ]기타( ) ■**순환보조**([ ]정맥로 확보 [ ]수액공급(cc) 확보 [ ]약물투여( ) ■**고정**([ ]경추 [ ]척추 [ ]부목 [ ]머리) ■**상처처치**([ ]지혈 [ ]상처드레싱) [ ]분만 [ ]보온([ ]온 [ ]냉)

환자이송	이송 기관명		의료기관 등 선정자	[ ]구급대 [ ]119상황실 [ ]구급상황센터 [ ]환자/보호자 [ ]기타	환자 인수자	[ ]의사 [ ]간호사 [ ]응급구조사 [ ]기타
※ 본 구급대는 환자의 추가 손상 및 악화(사망 등) 방지를 위해 응급처치에 적합하고 최단시간 이내에 이송이 가능한 병원으로 이송을 권유 하였으나 씨가 원하는 병원으로 이송함에 따라 발생하는 민사·형사상 책임을 지지 않습니다. 위 내용을 고지합니다. (서명 또는 인)						
미이송	[ ]이송 거부 [ ]이송 거절 [ ]환자 없음 [ ]현장처치 [ ]사망 [ ]경찰차 [ ]병원 차량 [ ]기타					

2-2. 사례 연구

환자 사례와 관련하여 학습한 내용을 기록한다.

3-1. 구급활동 임상 기록

<table>
<tr><td rowspan="6">구급출동</td><td>신고일지</td><td>20 . . .
:</td><td>환자 인적 사항</td><td>성명:</td><td>나이 세</td><td>성별: [ ]남 [ ]여</td></tr>
<tr><td>출동시각</td><td>:</td><td rowspan="5">환자 발생 장소 (택일)</td><td colspan="3" rowspan="5">[ ]집 [ ]집단거주시설 [ ]숙박시설 [ ]사무실 [ ]공장 [ ]공사장 [ ]학교
[ ]일반도로 [ ]고속도로 [ ]병원 [ ]산 [ ]공공장소 [ ]강/바다 [ ]논/밭
[ ]지하철 [ ]기타( )</td></tr>
<tr><td>현장도착</td><td>:</td></tr>
<tr><td>환자접촉</td><td>:</td></tr>
<tr><td>현장출발</td><td>:</td></tr>
<tr><td>병원도착</td><td>:</td></tr>
</table>

<table>
<tr><td rowspan="7">환자발생유형</td><td colspan="3">환자 발생 장소 (택일)</td><td>[ ]집 [ ]집단거주시설 [ ]도로 [ ]도로외 교통지역 [ ]오락/문화 시설
[ ]학교/교육시설 [ ]운동시설 [ ]상업시설 [ ]의료관련시설
[ ]공장/산업/건설시설 [ ]일차산업장 [ ]바다/강/산/논밭 [ ]기타( )</td></tr>
<tr><td>[ ]질병</td><td colspan="2">병 력
([ ]없음 [ ]미상)</td><td>[ ]고혈압 [ ]당뇨 [ ]뇌혈관질환 [ ]심장질환 [ ]폐질환 [ ]결핵 [ ]간염
[ ]간경화 [ ]알레르기 [ ]암(종류:) [ ]신부전(투석여부 :) [ ]기타( )</td></tr>
<tr><td rowspan="3">[ ]질병 외</td><td>[ ]교통사고</td><td>사상자</td><td>[ ]운전자 [ ]동승자 [ ]보행자 [ ]자전거 [ ]오토바이 [ ]그 밖의 탈 것</td></tr>
<tr><td>[ ]사고부상</td><td>원인
(택일)</td><td>[ ]낙상 [ ]추락 [ ]중독 ■화상([ ]화염 [ ]고온체 [ ]전기 [ ]물) [ ]열상
[ ]자상 [ ]그 밖의 둔상 [ ]관통상 [ ]익수 [ ]성폭행 [ ]질식 [ ]화학물질
[ ]동물/곤충 [ ]자연재해 [ ]기계 [ ]농기계 [ ]열손상 [ ]상해 [ ]기타</td></tr>
<tr><td>[ ]비외상성 손상</td><td>원인
(택일)</td><td>[ ]중독 [ ]연기흡입 [ ]목맴/목졸림 [ ]화상 [ ]익수 [ ]질식 [ ]온열손상
[ ]한랭손상 [ ]화학물질 [ ]기타</td></tr>
<tr><td>[ ]기타</td><td colspan="3">[ ]임산부 [ ]단순주취 [ ]기타( )</td></tr>
</table>

<table>
<tr><td rowspan="11">환자평가</td><td>환자평가</td><td colspan="8">• 주 호소: • 발생시간([ ]추정): :</td></tr>
<tr><td>의식상태</td><td colspan="7">[ ]A [ ]V [ ]P [ ]U</td><td>사고부위</td></tr>
<tr><td rowspan="2">동공반응</td><td>좌</td><td colspan="3">[ ]정상 [ ]축동 [ ]산동</td><td colspan="3">[ ]반응 [ ]무반응</td><td rowspan="9"></td></tr>
<tr><td>우</td><td colspan="3">[ ]정상 [ ]축동 [ ]산동</td><td colspan="3">[ ]반응 [ ]무반응</td></tr>
<tr><td rowspan="3">활력징후</td><td>시각</td><td>혈압</td><td>맥박</td><td>호흡</td><td>체온</td><td>SpO_2</td><td>혈당체크</td></tr>
<tr><td>:</td><td>mmhg</td><td>회/min</td><td>회/min</td><td>℃</td><td>%</td><td>mg/dL</td></tr>
<tr><td>:</td><td>mmhg</td><td>회/min</td><td>회/min</td><td>℃</td><td>%</td><td>mg/dL</td></tr>
<tr><td>환자증상
[복수 선택]</td><td colspan="7">■통증([ ]두통 [ ]흉통 [ ]복통 [ ]요통 [ ]분만진통[ ]그 외 통증)
■외상([ ]골절 [ ]탈구 [ ]염좌 [ ]열상 [ ]찰과상 [ ]타박상 [ ]절단 [ ]압궤 [ ]화상)
[ ]의식장애 [ ]기도이물 [ ]기침 [ ]호흡곤란 [ ]호흡정지 [ ]심계항진 [ ]심정지
[ ]경련 [ ]발작 [ ]실신 [ ]오심/구토 [ ]설사 [ ]변비 [ ]배뇨장애 [ ]객혈 [ ]토혈
[ ]비출혈 [ ]질출혈 [ ]그 밖의 출혈 [ ]고열 [ ]저체온증 [ ]어지러움 [ ]편마비
[ ]전신쇠약 [ ]정신장애 [ ]그 밖의 이물질 [ ]기타( )</td></tr>
<tr><td>환자분류</td><td colspan="7">[ ]응급 [ ]준응급 [ ]잠재응급 [ ]대상 외 [ ]사망([ ]추정)</td></tr>
</table>

응급처치	■**기도확보**([ ]도수조작 [ ]기도유지기 [ ]기도삽관 [ ]성문외기도기 [ ]흡인기 [ ]기도폐쇄처치 ■**산소투여**: ℓ/min([ ]비관 [ ]안면마스크 [ ]비재호흡마스크 [ ]BVM [ ]산소소생기 [ ]포켓마스크 [ ]네뷸라이저 [ ]기타) ■**CPR**([ ]실시 [ ]거부 [ ]DNR [ ]유보 [ ]ECG ■**AED**([ ]Shock [ ]Monitoring) [ ]기타( ) ■**순환보조**([ ]정맥로 확보 [ ]수액공급(cc) 확보 [ ]약물투여( ) ■**고정**([ ]경추 [ ]척추 [ ]부목 [ ]머리) ■**상처처치**([ ]지혈 [ ]상처드레싱) [ ]분만 [ ]보온([ ]온 [ ]냉)

환자이송	이송 기관명		의료기관 등 선정자	[ ]구급대 [ ]119상황실 [ ]구급상황센터 [ ]환자/보호자 [ ]기타	환자 인수자	[ ]의사 [ ]간호사 [ ]응급구조사 [ ]기타
※ 본 구급대는 환자의 추가 손상 및 악화(사망 등) 방지를 위해 응급처치에 적합하고 최단시간 이내에 이송이 가능한 병원으로 이송을 권유 하였으나 씨가 원하는 병원으로 이송함에 따라 발생하는 민사·형사상 책임을 지지 않습니다. 위 내용을 고지합니다. (서명 또는 인)						
미이송	[ ]이송 거부 [ ]이송 거절 [ ]환자 없음 [ ]현장처치 [ ]사망 [ ]경찰차 [ ]병원 차량 [ ]기타					

3-2. 사례 연구

환자 사례와 관련하여 학습한 내용을 기록한다.

4-1. 구급활동 임상 기록

구급출동	신고일지	20 . . . :	환자 인적 사항	성명:	나이 세	성별: [ ]남 [ ]여
	출동시각	:				
	현장도착	:	환자 발생 장소 (택일)	[ ]집 [ ]집단거주시설 [ ]숙박시설 [ ]사무실 [ ]공장 [ ]공사장 [ ]학교 [ ]일반도로 [ ]고속도로 [ ]병원 [ ]산 [ ]공공장소 [ ]강/바다 [ ]논/밭 [ ]지하철 [ ]기타( )		
	환자접촉	:				
	현장출발	:				
	병원도착	:				

환자발생유형	환자 발생 장소 (택일)			[ ]집 [ ]집단거주시설 [ ]도로 [ ]도로외 교통지역 [ ]오락/문화 시설 [ ]학교/교육시설 [ ]운동시설 [ ]상업시설 [ ]의료관련시설 [ ]공장/산업/건설시설 [ ]일차산업장 [ ]바다/강/산/논밭 [ ]기타( )
	[ ]질병	병 력 ([ ]없음 [ ]미상)		[ ]고혈압 [ ]당뇨 [ ]뇌혈관질환 [ ]심장질환 [ ]폐질환 [ ]결핵 [ ]간염 [ ]간경화 [ ]알레르기 [ ]암(종류:) [ ]신부전(투석여부 :) [ ]기타( )
	[ ]질병 외	[ ]교통사고	사상자	[ ]운전자 [ ]동승자 [ ]보행자 [ ]자전거 [ ]오토바이 [ ]그 밖의 탈 것
		[ ]사고부상	원인 (택일)	[ ]낙상 [ ]추락 [ ]중독 ■화상([ ]화염 [ ]고온체 [ ]전기 [ ]물) [ ]열상 [ ]자상 [ ]그 밖의 둔상 [ ]관통상 [ ]익수 [ ]성폭행 [ ]질식 [ ]화학물질 [ ]동물/곤충 [ ]자연재해 [ ]기계 [ ]농기계 [ ]열손상 [ ]상해 [ ]기타
		[ ]비외상성 손상	원인 (택일)	[ ]중독 [ ]연기흡입 [ ]목맴/목졸림 [ ]화상 [ ]익수 [ ]질식 [ ]온열손상 [ ]한랭손상 [ ]화학물질 [ ]기타
	[ ]기타	[ ]임산부 [ ]단순주취 [ ]기타( )		

환자평가	환자평가	• 주 호소:			• 발생시간([ ]추정): :				
	의식상태	[ ]A [ ]V [ ]P [ ]U							사고부위
	동공반응	좌	[ ]정상 [ ]축동 [ ]산동			[ ]반응 [ ]무반응			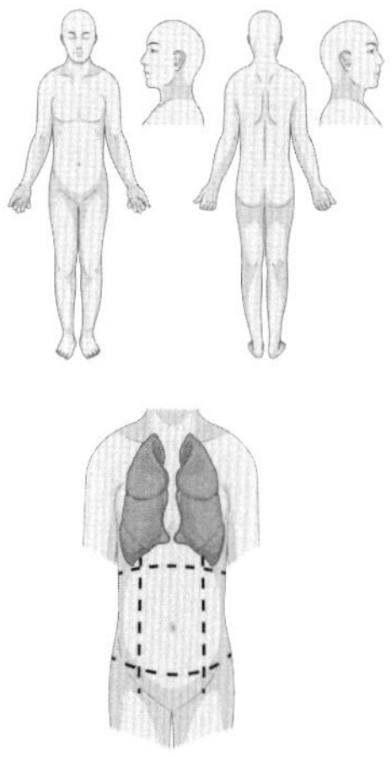
		우	[ ]정상 [ ]축동 [ ]산동			[ ]반응 [ ]무반응			
	활력징후	시각	혈압	맥박	호흡	체온	SpO_2	혈당체크	
		:	mmhg	회/min	회/min	℃	%	mg/dL	
		:	mmhg	회/min	회/min	℃	%	mg/dL	
	환자증상 [복수 선택]	■통증([ ]두통 [ ]흉통 [ ]복통 [ ]요통 [ ]분만진통[ ]그 외 통증) ■외상([ ]골절 [ ]탈구 [ ]염좌 [ ]열상 [ ]찰과상 [ ]타박상 [ ]절단 [ ]압궤 [ ]화상) [ ]의식장애 [ ]기도이물 [ ]기침 [ ]호흡곤란 [ ]호흡정지 [ ]심계항진 [ ]심정지 [ ]경련 [ ]발작 [ ]실신 [ ]오심/구토 [ ]설사 [ ]변비 [ ]배뇨장애 [ ]객혈 [ ]토혈 [ ]비출혈 [ ]질출혈 [ ]그 밖의 출혈 [ ]고열 [ ]저체온증 [ ]어지러움 [ ]편마비 [ ]전신쇠약 [ ]정신장애 [ ]그 밖의 이물질 [ ]기타( )							
	환자분류	[ ]응급 [ ]준응급 [ ]잠재응급 [ ]대상 외 [ ]사망([ ]추정)							

응급처치	■**기도확보**([ ]도수조작 [ ]기도유지기 [ ]기도삽관 [ ]성문외기도기 [ ]흡인기 [ ]기도폐쇄처치 ■**산소투여**: ℓ/min([ ]비관 [ ]안면마스크 [ ]비재호흡마스크 [ ]BVM [ ]산소소생기 [ ]포켓마스크 [ ]네뷸라이저 [ ]기타) ■**CPR**([ ]실시 [ ]거부 [ ]DNR [ ]유보 [ ]ECG ■**AED**([ ]Shock [ ]Monitoring) [ ]기타( ) ■**순환보조**([ ]정맥로 확보 [ ]수액공급(cc) 확보 [ ]약물투여( ) ■**고정**([ ]경추 [ ]척추 [ ]부목 [ ]머리) ■**상처처치**([ ]지혈 [ ]상처드레싱) [ ]분만 [ ]보온([ ]온 [ ]냉)

환자이송	이송 기관명		의료기관 등 선정자	[ ]구급대 [ ]119상황실 [ ]구급상황센터 [ ]환자/보호자 [ ]기타	환자 인수자	[ ]의사 [ ]간호사 [ ]응급구조사 [ ]기타
※ 본 구급대는 환자의 추가 손상 및 악화(사망 등) 방지를 위해 응급처치에 적합하고 최단시간 이내에 이송이 가능한 병원으로 이송을 권유 하였으나 씨가 원하는 병원으로 이송함에 따라 발생하는 민사·형사상 책임을 지지 않습니다. 위 내용을 고지합니다. (서명 또는 인)						
미이송	[ ]이송 거부 [ ]이송 거절 [ ]환자 없음 [ ]현장처치 [ ]사망 [ ]경찰차 [ ]병원 차량 [ ]기타					

4-2. 사례 연구

환자 사례와 관련하여 학습한 내용을 기록한다.

5-1. 구급활동 임상 기록

구급출동	신고일지	20 . . . :	환자 인적 사항	성명:	나이 세	성별: []남 []여
	출동시각	:				
	현장도착	:	환자 발생 장소 (택일)	[]집 []집단거주시설 []숙박시설 []사무실 []공장 []공사장 []학교 []일반도로 []고속도로 []병원 []산 []공공장소 []강/바다 []논/밭 []지하철 []기타( )		
	환자접촉	:				
	현장출발	:				
	병원도착	:				

환자발생유형				
환자 발생 장소 (택일)				[]집 []집단거주시설 []도로 []도로외 교통지역 []오락/문화 시설 []학교/교육시설 []운동시설 []상업시설 []의료관련시설 []공장/산업/건설시설 []일차산업장 []바다/강/산/논밭 []기타( )
[]질병	병 력 ([]없음 []미상)			[]고혈압 []당뇨 []뇌혈관질환 []심장질환 []폐질환 []결핵 []간염 []간경화 []알레르기 []암(종류:) []신부전(투석여부 :) []기타( )
[]질병 외	[]교통사고	사상자		[]운전자 []동승자 []보행자 []자전거 []오토바이 []그 밖의 탈 것
	[]사고부상	원인 (택일)		[]낙상 []추락 []중독 ■화상([]화염 []고온체 []전기 []물) []열상 []자상 []그 밖의 둔상 []관통상 []익수 []성폭행 []질식 []화학물질 []동물/곤충 []자연재해 []기계 []농기계 []열손상 []상해 []기타
	[]비외상성 손상	원인 (택일)		[]중독 []연기흡입 []목맴/목졸림 []화상 []익수 []질식 []온열손상 []한랭손상 []화학물질 []기타
[]기타	[]임산부 []단순주취 []기타( )			

환자평가								
환자평가	• 주 호소:				• 발생시간([]추정): :			
의식상태	[]A []V []P []U							사고부위
동공반응	좌	[]정상 []축동 []산동			[]반응 []무반응			
	우	[]정상 []축동 []산동			[]반응 []무반응			
활력징후	시각	혈압	맥박	호흡	체온	SpO_2	혈당체크	
	:	mmhg	회/min	회/min	℃	%	mg/dL	
	:	mmhg	회/min	회/min	℃	%	mg/dL	
환자증상 [복수 선택]	■통증([]두통 []흉통 []복통 []요통 []분만진통[]그 외 통증) ■외상([]골절 []탈구 []염좌 []열상 []찰과상 []타박상 []절단 []압궤 []화상) []의식장애 []기도이물 []기침 []호흡곤란 []호흡정지 []심계항진 []심정지 []경련 []발작 []실신 []오심/구토 []설사 []변비 []배뇨장애 []객혈 []토혈 []비출혈 []질출혈 []그 밖의 출혈 []고열 []저체온증 []어지러움 []편마비 []전신쇠약 []정신장애 []그 밖의 이물질 []기타( )							
환자분류	[]응급 []준응급 []잠재응급 []대상 외 []사망([]추정)							

응급처치	■**기도확보**([ ]도수조작 [ ]기도유지기 [ ]기도삽관 [ ]성문외기도기 [ ]흡인기 [ ]기도폐쇄처치 ■**산소투여**: ℓ/min([ ]비관 [ ]안면마스크 [ ]비재호흡마스크 [ ]BVM [ ]산소소생기 [ ]포켓마스크 [ ]네뷸라이저 [ ]기타) ■**CPR**([ ]실시 [ ]거부 [ ]DNR [ ]유보 [ ]ECG ■**AED**([ ]Shock [ ]Monitoring) [ ]기타( ) ■**순환보조**([ ]정맥로 확보 [ ]수액공급(cc) 확보 [ ]약물투여( ) ■**고정**([ ]경추 [ ]척추 [ ]부목 [ ]머리) ■**상처처치**([ ]지혈 [ ]상처드레싱) [ ]분만 [ ]보온([ ]온 [ ]냉)

환자이송	이송 기관명		의료기관 등 선정자	[ ]구급대 [ ]119상황실 [ ]구급상황센터 [ ]환자/보호자 [ ]기타	환자 인수자	[ ]의사 [ ]간호사 [ ]응급구조사 [ ]기타
※ 본 구급대는 환자의 추가 손상 및 악화(사망 등) 방지를 위해 응급처치에 적합하고 최단시간 이내에 이송이 가능한 병원으로 이송을 권유 하였으나 씨가 원하는 병원으로 이송함에 따라 발생하는 민사·형사상 책임을 지지 않습니다. 위 내용을 고지합니다. (서명 또는 인)						
미이송	[ ]이송 거부 [ ]이송 거절 [ ]환자 없음 [ ]현장처치 [ ]사망 [ ]경찰차 [ ]병원 차량 [ ]기타					

5-2. 사례 연구

환자 사례와 관련하여 학습한 내용을 기록한다.

6-1. 구급활동 임상 기록

구급출동	신고일지	20 . . . :	환자 인적사항	성명:	나이 세	성별: [ ]남 [ ]여
	출동시각	:	환자 발생 장소 (택일)	[ ]집 [ ]집단거주시설 [ ]숙박시설 [ ]사무실 [ ]공장 [ ]공사장 [ ]학교 [ ]일반도로 [ ]고속도로 [ ]병원 [ ]산 [ ]공공장소 [ ]강/바다 [ ]논/밭 [ ]지하철 [ ]기타( )		
	현장도착	:				
	환자접촉	:				
	현장출발	:				
	병원도착	:				

환자발생유형				
	환자 발생 장소 (택일)			[ ]집 [ ]집단거주시설 [ ]도로 [ ]도로외 교통지역 [ ]오락/문화 시설 [ ]학교/교육시설 [ ]운동시설 [ ]상업시설 [ ]의료관련시설 [ ]공장/산업/건설시설 [ ]일차산업장 [ ]바다/강/산/논밭 [ ]기타( )
	[ ]질병	병 력 ([ ]없음 [ ]미상)		[ ]고혈압 [ ]당뇨 [ ]뇌혈관질환 [ ]심장질환 [ ]폐질환 [ ]결핵 [ ]간염 [ ]간경화 [ ]알레르기 [ ]암(종류:) [ ]신부전(투석여부 :) [ ]기타( )
	[ ]질병 외	[ ]교통사고	사상자	[ ]운전자 [ ]동승자 [ ]보행자 [ ]자전거 [ ]오토바이 [ ]그 밖의 탈 것
		[ ]사고부상	원인 (택일)	[ ]낙상 [ ]추락 [ ]중독 ■화상([ ]화염 [ ]고온체 [ ]전기 [ ]물) [ ]열상 [ ]자상 [ ]그 밖의 둔상 [ ]관통상 [ ]익수 [ ]성폭행 [ ]질식 [ ]화학물질 [ ]동물/곤충 [ ]자연재해 [ ]기계 [ ]농기계 [ ]열손상 [ ]상해 [ ]기타
		[ ]비외상성 손상	원인 (택일)	[ ]중독 [ ]연기흡입 [ ]목맴/목졸림 [ ]화상 [ ]익수 [ ]질식 [ ]온열손상 [ ]한랭손상 [ ]화학물질 [ ]기타
	[ ]기타	[ ]임산부 [ ]단순주취 [ ]기타( )		

환자평가									
	환자평가	• 주 호소:			• 발생시간([ ]추정): :				
	의식상태	[ ]A [ ]V [ ]P [ ]U							사고부위
	동공반응	좌	[ ]정상 [ ]축동 [ ]산동		[ ]반응 [ ]무반응				
		우	[ ]정상 [ ]축동 [ ]산동		[ ]반응 [ ]무반응				
	활력징후	시각	혈압	맥박	호흡	체온	SpO_2	혈당체크	
		:	mmhg	회/min	회/min	℃	%	mg/dL	
		:	mmhg	회/min	회/min	℃	%	mg/dL	
	환자증상 [복수 선택]	■통증([ ]두통 [ ]흉통 [ ]복통 [ ]요통 [ ]분만진통[ ]그 외 통증) ■외상([ ]골절 [ ]탈구 [ ]염좌 [ ]열상 [ ]찰과상 [ ]타박상 [ ]절단 [ ]압궤 [ ]화상) [ ]의식장애 [ ]기도이물 [ ]기침 [ ]호흡곤란 [ ]호흡정지 [ ]심계항진 [ ]심정지 [ ]경련 [ ]발작 [ ]실신 [ ]오심/구토 [ ]설사 [ ]변비 [ ]배뇨장애 [ ]객혈 [ ]토혈 [ ]비출혈 [ ]질출혈 [ ]그 밖의 출혈 [ ]고열 [ ]저체온증 [ ]어지러움 [ ]편마비 [ ]전신쇠약 [ ]정신장애 [ ]그 밖의 이물질 [ ]기타( )							
	환자분류	[ ]응급 [ ]준응급 [ ]잠재응급 [ ]대상 외 [ ]사망([ ]추정)							

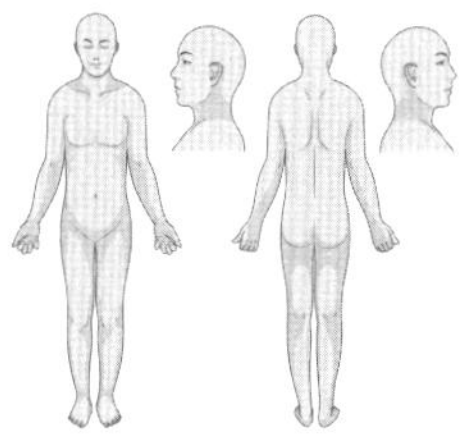

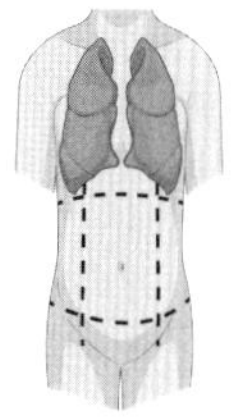

응급처치	**■기도확보**([ ]도수조작 [ ]기도유지기 [ ]기도삽관 [ ]성문외기도기 [ ]흡인기 [ ]기도폐쇄처치 **■산소투여**: ℓ/min([ ]비관 [ ]안면마스크 [ ]비재호흡마스크 [ ]BVM [ ]산소소생기 [ ]포켓마스크 [ ]네뷸라이저 [ ]기타) **■CPR**([ ]실시 [ ]거부 [ ]DNR [ ]유보 [ ]ECG **■AED**([ ]Shock [ ]Monitoring) [ ]기타( ) **■순환보조**([ ]정맥로 확보 [ ]수액공급(cc) 확보 [ ]약물투여( ) **■고정**([ ]경추 [ ]척추 [ ]부목 [ ]머리) **■상처처치**([ ]지혈 [ ]상처드레싱) [ ]분만 [ ]보온([ ]온 [ ]냉)

환자이송	이송 기관명		의료기관 등 선정자	[ ]구급대 [ ]119상황실 [ ]구급상황센터 [ ]환자/보호자 [ ]기타	환자 인수자	[ ]의사 [ ]간호사 [ ]응급구조사 [ ]기타
※ 본 구급대는 환자의 추가 손상 및 악화(사망 등) 방지를 위해 응급처치에 적합하고 최단시간 이내에 이송이 가능한 병원으로 이송을 권유 하였으나 씨가 원하는 병원으로 이송함에 따라 발생하는 민사·형사상 책임을 지지 않습니다. 위 내용을 고지합니다. (서명 또는 인)						
미이송	[ ]이송 거부 [ ]이송 거절 [ ]환자 없음 [ ]현장처치 [ ]사망 [ ]경찰차 [ ]병원 차량 [ ]기타					

6-2. 사례 연구

환자 사례와 관련하여 학습한 내용을 기록한다.

7-1. 구급활동 임상 기록

구급출동						
구급출동	신고일지	20 . . . :	환자 인적 사항	성명:	나이 세	성별: [ ]남 [ ]여
	출동시각	:	환자 발생 장소 (택일)	[ ]집 [ ]집단거주시설 [ ]숙박시설 [ ]사무실 [ ]공장 [ ]공사장 [ ]학교 [ ]일반도로 [ ]고속도로 [ ]병원 [ ]산 [ ]공공장소 [ ]강/바다 [ ]논/밭 [ ]지하철 [ ]기타( )		
	현장도착	:				
	환자접촉	:				
	현장출발	:				
	병원도착	:				

환자발생유형				
환자발생유형	환자 발생 장소 (택일)			[ ]집 [ ]집단거주시설 [ ]도로 [ ]도로외 교통지역 [ ]오락/문화 시설 [ ]학교/교육시설 [ ]운동시설 [ ]상업시설 [ ]의료관련시설 [ ]공장/산업/건설시설 [ ]일차산업장 [ ]바다/강/산/논밭 [ ]기타( )
	[ ]질병	병 력 ([ ]없음 [ ]미상)		[ ]고혈압 [ ]당뇨 [ ]뇌혈관질환 [ ]심장질환 [ ]폐질환 [ ]결핵 [ ]간염 [ ]간경화 [ ]알레르기 [ ]암(종류:) [ ]신부전(투석여부 :) [ ]기타( )
	[ ]질병 외	[ ]교통사고	사상자	[ ]운전자 [ ]동승자 [ ]보행자 [ ]자전거 [ ]오토바이 [ ]그 밖의 탈 것
		[ ]사고부상	원인 (택일)	[ ]낙상 [ ]추락 [ ]중독 ■화상([ ]화염 [ ]고온체 [ ]전기 [ ]물) [ ]열상 [ ]자상 [ ]그 밖의 둔상 [ ]관통상 [ ]익수 [ ]성폭행 [ ]질식 [ ]화학물질 [ ]동물/곤충 [ ]자연재해 [ ]기계 [ ]농기계 [ ]열손상 [ ]상해 [ ]기타
		[ ]비외상성 손상	원인 (택일)	[ ]중독 [ ]연기흡입 [ ]목맴/목졸림 [ ]화상 [ ]익수 [ ]질식 [ ]온열손상 [ ]한랭손상 [ ]화학물질 [ ]기타
	[ ]기타	[ ]임산부 [ ]단순주취 [ ]기타( )		

환자평가									
환자평가	환자평가	• 주 호소:			• 발생시간([ ]추정): :				
	의식상태	[ ]A [ ]V [ ]P [ ]U							사고부위
	동공반응	좌	[ ]정상 [ ]축동 [ ]산동		[ ]반응 [ ]무반응				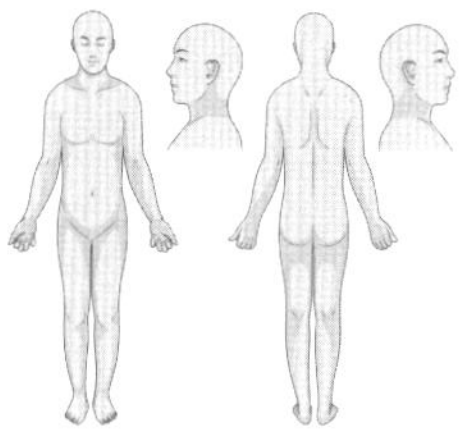 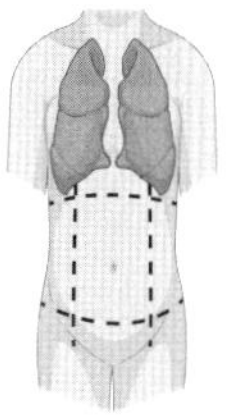
		우	[ ]정상 [ ]축동 [ ]산동		[ ]반응 [ ]무반응				
	활력징후	시각	혈압	맥박	호흡	체온	SpO_2	혈당체크	
		:	mmhg	회/min	회/min	℃	%	mg/dL	
		:	mmhg	회/min	회/min	℃	%	mg/dL	
	환자증상 [복수 선택]	■통증([ ]두통 [ ]흉통 [ ]복통 [ ]요통 [ ]분만진통[ ]그 외 통증) ■외상([ ]골절 [ ]탈구 [ ]염좌 [ ]열상 [ ]찰과상 [ ]타박상 [ ]절단 [ ]압궤 [ ]화상) [ ]의식장애 [ ]기도이물 [ ]기침 [ ]호흡곤란 [ ]호흡정지 [ ]심계항진 [ ]심정지 [ ]경련 [ ]발작 [ ]실신 [ ]오심/구토 [ ]설사 [ ]변비 [ ]배뇨장애 [ ]객혈 [ ]토혈 [ ]비출혈 [ ]질출혈 [ ]그 밖의 출혈 [ ]고열 [ ]저체온증 [ ]어지러움 [ ]편마비 [ ]전신쇠약 [ ]정신장애 [ ]그 밖의 이물질 [ ]기타( )							
	환자분류	[ ]응급 [ ]준응급 [ ]잠재응급 [ ]대상 외 [ ]사망([ ]추정)							

응급처치	■**기도확보**([ ]도수조작 [ ]기도유지기 [ ]기도삽관 [ ]성문외기도기 [ ]흡인기 [ ]기도폐쇄처치 ■**산소투여**: ℓ/min([ ]비관 [ ]안면마스크 [ ]비재호흡마스크 [ ]BVM [ ]산소소생기 [ ]포켓마스크 [ ]네뷸라이저 [ ]기타) ■**CPR**([ ]실시 [ ]거부 [ ]DNR [ ]유보 [ ]ECG ■**AED**([ ]Shock [ ]Monitoring) [ ]기타( ) ■**순환보조**([ ]정맥로 확보 [ ]수액공급(cc) 확보 [ ]약물투여( ) ■**고정**([ ]경추 [ ]척추 [ ]부목 [ ]머리) ■**상처처치**([ ]지혈 [ ]상처드레싱) [ ]분만 [ ]보온([ ]온 [ ]냉)

환자이송	이송 기관명		의료기관 등 선정자	[ ]구급대 [ ]119상황실 [ ]구급상황센터 [ ]환자/보호자 [ ]기타	환자 인수자	[ ]의사 [ ]간호사 [ ]응급구조사 [ ]기타
※ 본 구급대는 환자의 추가 손상 및 악화(사망 등) 방지를 위해 응급처치에 적합하고 최단시간 이내에 이송이 가능한 병원으로 이송을 권유 하였으나 씨가 원하는 병원으로 이송함에 따라 발생하는 민사·형사상 책임을 지지 않습니다. 위 내용을 고지합니다. (서명 또는 인)						
미이송	[ ]이송 거부 [ ]이송 거절 [ ]환자 없음 [ ]현장처치 [ ]사망 [ ]경찰차 [ ]병원 차량 [ ]기타					

7-2. 사례 연구

환자 사례와 관련하여 학습한 내용을 기록한다.

8-1. 구급활동 임상 기록

구급출동	신고일지	20 . . . :	환자 인적 사항	성명:	나이 세	성별: [ ]남 [ ]여
	출동시각	:				
	현장도착	:	환자 발생 장소 (택일)	[ ]집 [ ]집단거주시설 [ ]숙박시설 [ ]사무실 [ ]공장 [ ]공사장 [ ]학교 [ ]일반도로 [ ]고속도로 [ ]병원 [ ]산 [ ]공공장소 [ ]강/바다 [ ]논/밭 [ ]지하철 [ ]기타( )		
	환자접촉	:				
	현장출발	:				
	병원도착	:				

환자발생유형	환자 발생 장소 (택일)			[ ]집 [ ]집단거주시설 [ ]도로 [ ]도로외 교통지역 [ ]오락/문화 시설 [ ]학교/교육시설 [ ]운동시설 [ ]상업시설 [ ]의료관련시설 [ ]공장/산업/건설시설 [ ]일차산업장 [ ]바다/강/산/논밭 [ ]기타( )
	[ ]질병	병 력 ([ ]없음 [ ]미상)		[ ]고혈압 [ ]당뇨 [ ]뇌혈관질환 [ ]심장질환 [ ]폐질환 [ ]결핵 [ ]간염 [ ]간경화 [ ]알레르기 [ ]암(종류:) [ ]신부전(투석여부 :) [ ]기타( )
	[ ]질병 외	[ ]교통사고	사상자	[ ]운전자 [ ]동승자 [ ]보행자 [ ]자전거 [ ]오토바이 [ ]그 밖의 탈 것
		[ ]사고부상	원인 (택일)	[ ]낙상 [ ]추락 [ ]중독 ■화상([ ]화염 [ ]고온체 [ ]전기 [ ]물) [ ]열상 [ ]자상 [ ]그 밖의 둔상 [ ]관통상 [ ]익수 [ ]성폭행 [ ]질식 [ ]화학물질 [ ]동물/곤충 [ ]자연재해 [ ]기계 [ ]농기계 [ ]열손상 [ ]상해 [ ]기타
		[ ]비외상성 손상	원인 (택일)	[ ]중독 [ ]연기흡입 [ ]목맴/목졸림 [ ]화상 [ ]익수 [ ]질식 [ ]온열손상 [ ]한랭손상 [ ]화학물질 [ ]기타
	[ ]기타	[ ]임산부 [ ]단순주취 [ ]기타( )		

환자평가	환자평가	• 주 호소:			• 발생시간([ ]추정): :				
	의식상태	[ ]A [ ]V [ ]P [ ]U							사고부위
	동공반응	좌	[ ]정상 [ ]축동 [ ]산동			[ ]반응 [ ]무반응			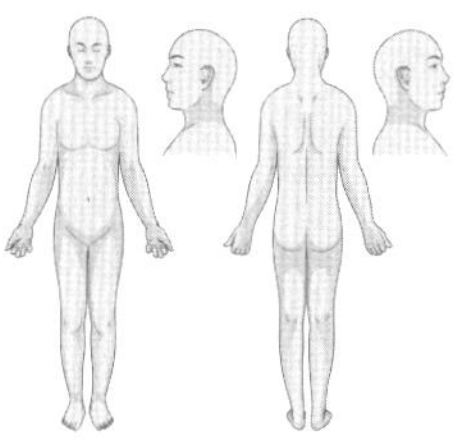 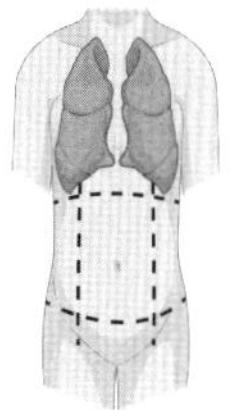
		우	[ ]정상 [ ]축동 [ ]산동			[ ]반응 [ ]무반응			
	활력징후	시각	혈압	맥박	호흡	체온	SpO_2	혈당체크	
		:	mmhg	회/min	회/min	℃	%	mg/dL	
		:	mmhg	회/min	회/min	℃	%	mg/dL	
	환자증상 [복수 선택]	■통증([ ]두통 [ ]흉통 [ ]복통 [ ]요통 [ ]분만진통[ ]그 외 통증) ■외상([ ]골절 [ ]탈구 [ ]염좌 [ ]열상 [ ]찰과상 [ ]타박상 [ ]절단 [ ]압궤 [ ]화상) [ ]의식장애 [ ]기도이물 [ ]기침 [ ]호흡곤란 [ ]호흡정지 [ ]심계항진 [ ]심정지 [ ]경련 [ ]발작 [ ]실신 [ ]오심/구토 [ ]설사 [ ]변비 [ ]배뇨장애 [ ]객혈 [ ]토혈 [ ]비출혈 [ ]질출혈 [ ]그 밖의 출혈 [ ]고열 [ ]저체온증 [ ]어지러움 [ ]편마비 [ ]전신쇠약 [ ]정신장애 [ ]그 밖의 이물질 [ ]기타( )							
	환자분류	[ ]응급 [ ]준응급 [ ]잠재응급 [ ]대상 외 [ ]사망([ ]추정)							

응급처치	■**기도확보**([ ]도수조작 [ ]기도유지기 [ ]기도삽관 [ ]성문외기도기 [ ]흡인기 [ ]기도폐쇄처치 ■**산소투여**: ℓ/min([ ]비관 [ ]안면마스크 [ ]비재호흡마스크 [ ]BVM [ ]산소소생기 [ ]포켓마스크 [ ]네뷸라이저 [ ]기타) ■**CPR**([ ]실시 [ ]거부 [ ]DNR [ ]유보 [ ]ECG ■**AED**([ ]Shock [ ]Monitoring) [ ]기타( ) ■**순환보조**([ ]정맥로 확보 [ ]수액공급(cc) 확보 [ ]약물투여( ) ■**고정**([ ]경추 [ ]척추 [ ]부목 [ ]머리) ■**상처처치**([ ]지혈 [ ]상처드레싱) [ ]분만 [ ]보온([ ]온 [ ]냉)

환자이송	이송 기관명		의료기관 등 선정자	[ ]구급대 [ ]119상황실 [ ]구급상황센터 [ ]환자/보호자 [ ]기타	환자 인수자	[ ]의사 [ ]간호사 [ ]응급구조사 [ ]기타
※ 본 구급대는 환자의 추가 손상 및 악화(사망 등) 방지를 위해 응급처치에 적합하고 최단시간 이내에 이송이 가능한 병원으로 이송을 권유 하였으나 씨가 원하는 병원으로 이송함에 따라 발생하는 민사·형사상 책임을 지지 않습니다. 위 내용을 고지합니다. (서명 또는 인)						
미이송	[ ]이송 거부 [ ]이송 거절 [ ]환자 없음 [ ]현장처치 [ ]사망 [ ]경찰차 [ ]병원 차량 [ ]기타					

8-2. 사례 연구

환자 사례와 관련하여 학습한 내용을 기록한다.

9-1. 구급활동 임상 기록

구급출동	신고일지	20 . . . :	환자 인적 사항	성명:	나이 세	성별: []남 []여
	출동시각	:				
	현장도착	:	환자 발생 장소 (택일)	[]집 []집단거주시설 []숙박시설 []사무실 []공장 []공사장 []학교 []일반도로 []고속도로 []병원 []산 []공공장소 []강/바다 []논/밭 []지하철 []기타( )		
	환자접촉	:				
	현장출발	:				
	병원도착	:				

환자발생유형				
환자 발생 장소 (택일)				[]집 []집단거주시설 []도로 []도로외 교통지역 []오락/문화 시설 []학교/교육시설 []운동시설 []상업시설 []의료관련시설 []공장/산업/건설시설 []일차산업장 []바다/강/산/논밭 []기타( )
[]질병	병 력 ([]없음 []미상)			[]고혈압 []당뇨 []뇌혈관질환 []심장질환 []폐질환 []결핵 []간염 []간경화 []알레르기 []암(종류:) []신부전(투석여부 :) []기타( )
[]질병 외	[]교통사고	사상자		[]운전자 []동승자 []보행자 []자전거 []오토바이 []그 밖의 탈 것
	[]사고부상	원인 (택일)		[]낙상 []추락 []중독 ■화상([]화염 []고온체 []전기 []물) []열상 []자상 []그 밖의 둔상 []관통상 []익수 []성폭행 []질식 []화학물질 []동물/곤충 []자연재해 []기계 []농기계 []열손상 []상해 []기타
	[]비외상성 손상	원인 (택일)		[]중독 []연기흡입 []목맴/목졸림 []화상 []익수 []질식 []온열손상 []한랭손상 []화학물질 []기타
[]기타	[]임산부 []단순주취 []기타( )			

환자평가									
환자평가	• 주 호소:			• 발생시간([]추정): :					
의식상태	[]A []V []P []U								사고부위
동공반응	좌	[]정상 []축동 []산동			[]반응 []무반응				
	우	[]정상 []축동 []산동			[]반응 []무반응				
활력징후	시각	혈압	맥박	호흡	체온	SpO_2	혈당체크		
	:	mmhg	회/min	회/min	℃	%	mg/dL		
	:	mmhg	회/min	회/min	℃	%	mg/dL		
환자증상 [복수 선택]	■통증([]두통 []흉통 []복통 []요통 []분만진통[]그 외 통증) ■외상([]골절 []탈구 []염좌 []열상 []찰과상 []타박상 []절단 []압궤 []화상) []의식장애 []기도이물 []기침 []호흡곤란 []호흡정지 []심계항진 []심정지 []경련 []발작 []실신 []오심/구토 []설사 []변비 []배뇨장애 []객혈 []토혈 []비출혈 []질출혈 []그 밖의 출혈 []고열 []저체온증 []어지러움 []편마비 []전신쇠약 []정신장애 []그 밖의 이물질 []기타( )								
환자분류	[]응급 []준응급 []잠재응급 []대상 외 []사망([]추정)								

응급처치	■**기도확보**([ ]도수조작 [ ]기도유지기 [ ]기도삽관 [ ]성문외기도기 [ ]흡인기 [ ]기도폐쇄처치 ■**산소투여**: ℓ/min([ ]비관 [ ]안면마스크 [ ]비재호흡마스크 [ ]BVM [ ]산소소생기 [ ]포켓마스크 [ ]네뷸라이저 [ ]기타) ■**CPR**([ ]실시 [ ]거부 [ ]DNR [ ]유보 [ ]ECG ■**AED**([ ]Shock [ ]Monitoring) [ ]기타( ) ■**순환보조**([ ]정맥로 확보 [ ]수액공급(cc) 확보 [ ]약물투여( ) ■**고정**([ ]경추 [ ]척추 [ ]부목 [ ]머리) ■**상처처치**([ ]지혈 [ ]상처드레싱) [ ]분만 [ ]보온([ ]온 [ ]냉)

환자이송	이송 기관명		의료기관 등 선정자	[ ]구급대 [ ]119상황실 [ ]구급상황센터 [ ]환자/보호자 [ ]기타	환자 인수자	[ ]의사 [ ]간호사 [ ]응급구조사 [ ]기타
※ 본 구급대는 환자의 추가 손상 및 악화(사망 등) 방지를 위해 응급처치에 적합하고 최단시간 이내에 이송이 가능한 병원으로 이송을 권유 하였으나 씨가 원하는 병원으로 이송함에 따라 발생하는 민사·형사상 책임을 지지 않습니다. 위 내용을 고지합니다. (서명 또는 인)						
미이송	[ ]이송 거부 [ ]이송 거절 [ ]환자 없음 [ ]현장처치 [ ]사망 [ ]경찰차 [ ]병원 차량 [ ]기타					

9-2. 사례 연구

환자 사례와 관련하여 학습한 내용을 기록한다.

10-1. 구급활동 임상 기록

구급출동	신고일지	20 . . . :	환자 인적 사항	성명:	나이 세	성별: [ ]남 [ ]여
	출동시각	:				
	현장도착	:	환자 발생 장소 (택일)	[ ]집 [ ]집단거주시설 [ ]숙박시설 [ ]사무실 [ ]공장 [ ]공사장 [ ]학교 [ ]일반도로 [ ]고속도로 [ ]병원 [ ]산 [ ]공공장소 [ ]강/바다 [ ]논/밭 [ ]지하철 [ ]기타( )		
	환자접촉	:				
	현장출발	:				
	병원도착	:				

환자발생유형	환자 발생 장소 (택일)			[ ]집 [ ]집단거주시설 [ ]도로 [ ]도로외 교통지역 [ ]오락/문화 시설 [ ]학교/교육시설 [ ]운동시설 [ ]상업시설 [ ]의료관련시설 [ ]공장/산업/건설시설 [ ]일차산업장 [ ]바다/강/산/논밭 [ ]기타( )
	[ ]질병	병 력 ([ ]없음 [ ]미상)		[ ]고혈압 [ ]당뇨 [ ]뇌혈관질환 [ ]심장질환 [ ]폐질환 [ ]결핵 [ ]간염 [ ]간경화 [ ]알레르기 [ ]암(종류:) [ ]신부전(투석여부 :) [ ]기타( )
	[ ]질병 외	[ ]교통사고	사상자	[ ]운전자 [ ]동승자 [ ]보행자 [ ]자전거 [ ]오토바이 [ ]그 밖의 탈 것
		[ ]사고부상	원인 (택일)	[ ]낙상 [ ]추락 [ ]중독 ■화상([ ]화염 [ ]고온체 [ ]전기 [ ]물) [ ]열상 [ ]자상 [ ]그 밖의 둔상 [ ]관통상 [ ]익수 [ ]성폭행 [ ]질식 [ ]화학물질 [ ]동물/곤충 [ ]자연재해 [ ]기계 [ ]농기계 [ ]열손상 [ ]상해 [ ]기타
		[ ]비외상성 손상	원인 (택일)	[ ]중독 [ ]연기흡입 [ ]목맴/목졸림 [ ]화상 [ ]익수 [ ]질식 [ ]온열손상 [ ]한랭손상 [ ]화학물질 [ ]기타
	[ ]기타	[ ]임산부 [ ]단순주취 [ ]기타( )		

환자평가	환자평가	• 주 호소:			• 발생시간([ ]추정): :				
	의식상태	[ ]A [ ]V [ ]P [ ]U							사고부위
	동공반응	좌	[ ]정상 [ ]축동 [ ]산동		[ ]반응 [ ]무반응				
		우	[ ]정상 [ ]축동 [ ]산동		[ ]반응 [ ]무반응				
	활력징후	시각	혈압	맥박	호흡	체온	SpO_2	혈당체크	
		:	mmhg	회/min	회/min	℃	%	mg/dL	
		:	mmhg	회/min	회/min	℃	%	mg/dL	
	환자증상 [복수 선택]	■통증([ ]두통 [ ]흉통 [ ]복통 [ ]요통 [ ]분만진통[ ]그 외 통증) ■외상([ ]골절 [ ]탈구 [ ]염좌 [ ]열상 [ ]찰과상 [ ]타박상 [ ]절단 [ ]압궤 [ ]화상) [ ]의식장애 [ ]기도이물 [ ]기침 [ ]호흡곤란 [ ]호흡정지 [ ]심계항진 [ ]심정지 [ ]경련 [ ]발작 [ ]실신 [ ]오심/구토 [ ]설사 [ ]변비 [ ]배뇨장애 [ ]객혈 [ ]토혈 [ ]비출혈 [ ]질출혈 [ ]그 밖의 출혈 [ ]고열 [ ]저체온증 [ ]어지러움 [ ]편마비 [ ]전신쇠약 [ ]정신장애 [ ]그 밖의 이물질 [ ]기타( )							
	환자분류	[ ]응급 [ ]준응급 [ ]잠재응급 [ ]대상 외 [ ]사망([ ]추정)							

<table>
<tr><td>응급처치</td><td>■기도확보([ ]도수조작 [ ]기도유지기 [ ]기도삽관 [ ]성문외기도기 [ ]흡인기 [ ]기도폐쇄처치
■산소투여: ℓ/min([ ]비관 [ ]안면마스크 [ ]비재호흡마스크 [ ]BVM [ ]산소소생기 [ ]포켓마스크 [ ]네뷸라이저 [ ]기타)
■CPR([ ]실시 [ ]거부 [ ]DNR [ ]유보 [ ]ECG ■AED([ ]Shock [ ]Monitoring) [ ]기타( )
■순환보조([ ]정맥로 확보 [ ]수액공급(cc) 확보 [ ]약물투여( )
■고정([ ]경추 [ ]척추 [ ]부목 [ ]머리) ■상처처치([ ]지혈 [ ]상처드레싱) [ ]분만 [ ]보온([ ]온 [ ]냉)</td></tr>
</table>

<table>
<tr><td>환자이송</td><td>이송
기관명</td><td></td><td>의료기관
등 선정자</td><td>[ ]구급대 [ ]119상황실 [ ]구급상황센터
[ ]환자/보호자 [ ]기타</td><td>환자
인수자</td><td>[ ]의사 [ ]간호사
[ ]응급구조사 [ ]기타</td></tr>
<tr><td colspan="7">※ 본 구급대는 환자의 추가 손상 및 악화(사망 등) 방지를 위해 응급처치에 적합하고 최단시간 이내에 이송이 가능한 병원으로 이송을 권유 하였으나 씨가 원하는 병원으로 이송함에 따라 발생하는 민사·형사상 책임을 지지 않습니다. 위 내용을 고지합니다. (서명 또는 인)</td></tr>
<tr><td colspan="2">미이송</td><td colspan="5">[ ]이송 거부 [ ]이송 거절 [ ]환자 없음 [ ]현장처치 [ ]사망 [ ]경찰차 [ ]병원 차량 [ ]기타</td></tr>
</table>

10-2. 사례 연구

환자 사례와 관련하여 학습한 내용을 기록한다.

첨부 1. 심폐정지 세부상황표

심정지상황	**심폐정지 발생시간(추정) 20 . . . :**			
	발생장소	[ ]공공장소	[ ]도로/고속도로 [ ]공공건물 [ ]여가시설 [ ]산업시설 [ ]상업시설 [ ]교통시설 [ ]기타	
		[ ]비공공장소	[ ]집 [ ]집단거주시설 [ ]요양기관 [ ]의료기관 [ ]농장	
		[ ]구급차안	[ ]기타 ( )	
		[ ]미상		
	발견자	환자와의 관계	[ ]일반인	[ ]가족 [ ]행인 [ ]동료 [ ]기타
			[ ]근무 중 관련 종사자	[ ]의료인 [ ]소방공무원 [ ]경찰 [ ]보건교사 [ ]체육시설안전담당자 [ ]인명구조원 [ ]여객/운송 사업용 자동차의 운전자 [ ]산업안전보건교육 대상자 [ ]관광산업 종사자 중 의료, 안전관련 담당자
			[ ]비근무중 관련 종사자	[ ]소방공무원 [ ]의료인
			[ ]미상	
		심정지 목격	[ ]미상 [ ]목격되지 않음 [ ]목격함 ■목격(추정)시각(:)	
		심정지 확인	[ ]의식 [ ]호흡 [ ]맥박 [ ]AED를 이용한 심전도 (중복 표기)	
		처치 내용	■심폐소생술 실시 여부 [ ]미상 [ ]심폐소생술 시행 않음 [ ]심폐소생술 시행함 ■심폐소생술 시작(추정)시각 :_________	
			■자동심장충격기(AED) 부착 여부 [ ]미상 [ ]AED 부착하지 않음 [ ]AED 부착함	
			■제세동 실시 여부 [ ]미상 [ ]제세동 실시하지 않음 [ ]제세동 실시함	
		도착전 지도	[ ]없음 [ ]구급대원 [ ]소방상황실 [ ]기타	

심폐소생술 및 제세동	구급대 심폐소생술 실시		[ ]아니요 [ ]예(심폐소생술 시작 시각 :)		
			■심폐소생술 유보 사유 [ ]명백한 사망 [ ]DNR 처방 보유 [ ]보호자 거부 [ ]의료지도 [ ]기타	■심폐소생술 시행 처치(중복 표기) [ ]기도확보 [ ]호흡확보 [ ]흉부압박 [ ]기계식 압박장치 사용(장치 종류:) [ ]기타	
	구급대 AED 사용 여부	[ ]비부착			
		[ ]부착 시간 ___:___	■확인장소 [ ]현장 [ ]구급차 내 [ ]기타( )		
			■AED 이용 심전도 소견(심정지 발생시 최초 소견)		
			[ ]심실세동 [ ]무맥성 심실빈맥 [ ]불명료한 제세동 가능 리듬	[ ]기타 [ ]무맥성 전기활동 [ ]무수축 [ ]불명료한 제세동 불가능 리듬	[ ]서맥 [ ]미상
	구급대 제세동	[ ]실시하지 않음			
		[ ]실시 횟수 _____회	■제세동 미실시 이유 [ ]미적응 [ ]기기상태 불량 [ ]가족 거부 [ ]기타 ■최초 제세동 실시 시각 ____:___ ■리듬 [ ]VF [ ]Pulseless VT [ ]불명료한 제세동 가능 리듬 ■제세동 결과 [ ]제세동 리듬 지속 [ ]제세동 리듬 제거		
	전문기도유지술		[ ]실시하지 않음 [ ]Intubation [ ]성문외 기도유지기 [ ]기타( )		

소생술중지	심폐소생술 중지	■중지 시각 : [ ]자발순환 회복 [ ]병원 인계 [ ]명백한 사망 [ ]보호자 거부 [ ]의료지도 [ ]기타	
	병원 도착전 자발순환 회복	[ ]없음	[ ]있음 (자발순환 회복 시각 :)
			■회복장소 [ ]현장 [ ]구급차 내 [ ]기타( )

의료지도	[ ]요청하지 않음	
	[ ]요청 실패	[ ]통신 실패 [ ]지도의사 부재 [ ]지도 거부 [ ]기타( )
	[ ]요청함	■의료지도의사 소속 [ ]소방상황실 [ ]이송병원 [ ]의료지도위탁병원 [ ]기타 ■의료지도 내용·처치 [ ]환자평가 [ ]현장처치 [ ]병원선정 [ ]CPR유보·중단 [ ]기타 [ ]기도확보([ ]airway [ ]Intubation [ ]supraglottic airway [ ]기타 [ ]산소투여[ ]BVM [ ]CPR [ ]ECG [ ]AED [ ]약물투여 [ ]순환보조([ ]정맥로 확보 [ ]MAST) [ ]고정([ ]경추고정 [ ]척추고정 [ ]부목고정) [ ]상처처치([ ]지혈 [ ]상처드레싱) [ ]혈당체크 [ ]보온 [ ]기타(안위 도모 및 안정 포함) ■지도 수행 [ ]예 [ ]아니요 ■지도 미수행 시 사유 [ ]병원 도착 [ ]환자 거부 [ ]장비 부재/고장 [ ]숙련도 부족

첨부 2. 심폐정지 세부상황표

<table>
<tr><td rowspan="16">심정지상황</td><td colspan="4">심폐정지 발생시간(추정) 20 . . . . :</td></tr>
<tr><td rowspan="4">발생장소</td><td colspan="2">[ ]공공장소</td><td>[ ]도로/고속도로 [ ]공공건물 [ ]여가시설 [ ]산업시설 [ ]상업시설 [ ]교통시설 [ ]기타</td></tr>
<tr><td colspan="2">[ ]비공공장소</td><td>[ ]집 [ ]집단거주시설 [ ]요양기관 [ ]의료기관 [ ]농장</td></tr>
<tr><td colspan="2">[ ]구급차안</td><td>[ ]기타 ( )</td></tr>
<tr><td colspan="2">[ ]미상</td><td></td></tr>
<tr><td rowspan="11">발견자</td><td rowspan="4">환자와의 관계</td><td>[ ]일반인</td><td>[ ]가족 [ ]행인 [ ]동료 [ ]기타</td></tr>
<tr><td>[ ]근무 중 관련 종사자</td><td>[ ]의료인 [ ]소방공무원 [ ]경찰 [ ]보건교사 [ ]체육시설안전담당자
[ ]인명구조원 [ ]여객/운송 사업용 자동차의 운전자
[ ]산업안전보건교육 대상자 [ ]관광산업 종사자 중 의료, 안전관련 담당자</td></tr>
<tr><td>[ ]비근무중 관련 종사자</td><td>[ ]소방공무원 [ ]의료인</td></tr>
<tr><td>[ ]미상</td><td></td></tr>
<tr><td>심정지 목격</td><td colspan="2">[ ]미상 [ ]목격되지 않음 [ ]목격함 ■목격(추정)시각(:)</td></tr>
<tr><td>심정지 확인</td><td colspan="2">[ ]의식 [ ]호흡 [ ]맥박 [ ]AED를 이용한 심전도 (중복 표기)</td></tr>
<tr><td rowspan="3">처치 내용</td><td colspan="2">■심폐소생술 실시 여부 [ ]미상 [ ]심폐소생술 시행 않음 [ ]심폐소생술 시행함
■심폐소생술 시작(추정)시각 :__________</td></tr>
<tr><td colspan="2">■자동심장충격기(AED) 부착 여부 [ ]미상 [ ]AED 부착하지 않음 [ ]AED 부착함</td></tr>
<tr><td colspan="2">■제세동 실시 여부 [ ]미상 [ ]제세동 실시하지 않음 [ ]제세동 실시함</td></tr>
<tr><td>도착전 지도</td><td colspan="2">[ ]없음 [ ]구급대원 [ ]소방상황실 [ ]기타</td></tr>
</table>

<table>
<tr><td rowspan="13">심폐소생술 및 제세동</td><td rowspan="2" colspan="2">구급대 심폐소생술 실시</td><td colspan="3">[ ]아니요 [ ]예(심폐소생술 시작 시각 :)</td></tr>
<tr><td>■심폐소생술 유보 사유
[ ]명백한 사망 [ ]DNR 처방 보유
[ ]보호자 거부 [ ]의료지도 [ ]기타</td><td colspan="2">■심폐소생술 시행 처치(중복 표기)
[ ]기도확보 [ ]호흡확보 [ ]흉부압박
[ ]기계식 압박장치 사용(장치 종류:) [ ]기타</td></tr>
<tr><td rowspan="4">구급대 AED 사용 여부</td><td colspan="4">[ ]비부착</td></tr>
<tr><td rowspan="3">[ ]부착 시간 ___:___</td><td colspan="3">■확인장소 [ ]현장 [ ]구급차 내 [ ]기타( )</td></tr>
<tr><td colspan="3">■AED 이용 심전도 소견(심정지 발생시 최초 소견)</td></tr>
<tr><td>[ ]심실세동 [ ]무맥성 심실빈맥
[ ]불명료한 제세동 가능 리듬</td><td>[ ]기타 [ ]무맥성 전기활동 [ ]무수축
[ ]불명료한 제세동 불가능 리듬</td><td>[ ]서맥
[ ]미상</td></tr>
<tr><td rowspan="6">구급대 제세동</td><td colspan="4">[ ]실시하지 않음</td></tr>
<tr><td rowspan="5">[ ]실시 횟수 ______회</td><td colspan="3">■제세동 미실시 이유 [ ]미적응 [ ]기기상태 불량 [ ]가족 거부 [ ]기타</td></tr>
<tr><td colspan="3">■최초 제세동 실시 시각 _____:_____</td></tr>
<tr><td colspan="3">■리듬 [ ]VF [ ]Pulseless VT [ ]불명료한 제세동 가능 리듬</td></tr>
<tr><td colspan="3">■제세동 결과 [ ]제세동 리듬 지속 [ ]제세동 리듬 제거</td></tr>
<tr><td colspan="3"></td></tr>
<tr><td colspan="2">전문기도유지술</td><td colspan="3">[ ]실시하지 않음 [ ]Intubation [ ]성문외 기도유지기 [ ]기타( )</td></tr>
</table>

<table>
<tr><td rowspan="4">소생술중지</td><td rowspan="2">심폐소생술 중지</td><td colspan="2">■중지 시각 :</td></tr>
<tr><td colspan="2">[ ]자발순환 회복 [ ]병원 인계 [ ]명백한 사망 [ ]보호자 거부 [ ]의료지도 [ ]기타</td></tr>
<tr><td rowspan="2">병원 도착전 자발순환 회복</td><td>[ ]없음</td><td>[ ]있음 (자발순환 회복 시각 :)</td></tr>
<tr><td></td><td>■회복장소 [ ]현장 [ ]구급차 내 [ ]기타( )</td></tr>
</table>

<table>
<tr><td rowspan="3">의료지도</td><td colspan="2">[ ]요청하지 않음</td></tr>
<tr><td>[ ]요청 실패</td><td>[ ]통신 실패 [ ]지도의사 부재 [ ]지도 거부 [ ]기타( )</td></tr>
<tr><td>[ ]요청함</td><td>■의료지도의사 소속 [ ]소방상황실 [ ]이송병원 [ ]의료지도위탁병원 [ ]기타
■의료지도 내용·처치 [ ]환자평가 [ ]현장처치 [ ]병원선정 [ ]CPR유보·중단 [ ]기타
[ ]기도확보([ ]airway [ ]Intubation [ ]supraglottic airway [ ]기타
[ ]산소투여[ ]BVM [ ]CPR [ ]ECG [ ]AED [ ]약물투여
[ ]순환보조([ ]정맥로 확보 [ ]MAST) [ ]고정([ ]경추고정 [ ]척추고정 [ ]부목고정)
[ ]상처처치([ ]지혈 [ ]상처드레싱) [ ]혈당체크 [ ]보온 [ ]기타(안위 도모 및 안정 포함)
■지도 수행 [ ]예 [ ]아니요
■지도 미수행 시 사유 [ ]병원 도착 [ ]환자 거부 [ ]장비 부재/고장 [ ]숙련도 부족</td></tr>
</table>

CHAPTER 11 119구급활동 경험기록표

내용		관찰	보조	수행
1. 감염방지 및 안전	감염방지(고글, 마스크, 장갑 등)			
	감염방지실			
	신체 분비물 격리			
	구급차 소독 관리			
	구급장비 소독 관리			
	구급차 안전벨트 착용			
2. 환자평가	복통 환자			
	가슴통증 환자			
	옆구리통증 환자			
	호흡곤란 환자			
	중독 환자			
	화상 환자			
	교통사고 환자			
3. 활력징후 및 기본검사	의식수준 평가(A, V, P, U)			
	혈압측정			
	맥박측정			
	호흡수 측정			
	체온측정			
	혈당측정			
	산소포화도 측정			
	심전도 평가			
4. 응급처치	심폐소생술			
	산소투여			
	약물투여(니트로 글리세린, 벤톨린 등)			
	지혈 및 상처처치			
	부목 고정			
	들것적용			
5. 기타	의료지도			
	응급처치교육			
	구급활동 일지 작성			

CHAPTER 12 응급의료장비 사용법

1. 기도유지 장비

1) 입인두 기도기(Oropharyngeal airway, OPA)

적응증 의식이 없거나 거의 없는 환자에게서 발생하는 혀에 의한 상기도 폐쇄를 방지하기 위해 적용한다

사용방법

① 입 가장자리에서 귓불 끝까지 길이를 측정한다.
② 환자의 입을 수지교차한 후 기도기의 끝이 입천장으로 향하게 하여 연구개에서 저항이 느껴질 때까지 넣는다.
③ 기도기의 끝이 입천장에 닿으면 기도기를 부드럽게 180°도 회전시켜 끝이 인두로 향하게 한다.
④ 플랜지가 환자의 입에 잘 위치해 있는지 확인하며 잘 관찰한다.

주의사항 의식이 있거나 구토반사가 있을 시 사용하면 안 된다.

부작용 부적절한 삽입은 구토 및 기도폐쇄의 위험이 있다.

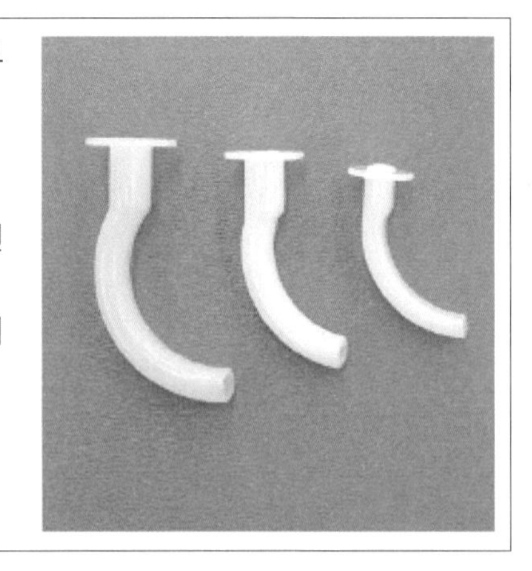

2) 코인두 기도기(Nasopharyngeal airway, NPA)

적응증 구강의 상처가 있거나 입을 벌릴 수 없는 경우, 그리고 구토반사가 있는 환자에게 사용이 가능하며 발작을 하거나 경추 손상이 의심되는 환자에게 적용한다.

사용방법

① 코 가장자리에서 귓불 끝까지 길이를 측정한다.
② 환자의 비강 중 큰 쪽을 선택하고 기도기에 수용성 유활제를 도포한 후 코의 굴곡을 따라 삽입한다.
③ 플랜지는 환자의 비강 끝에 위치하고 기도기의 끝은 인두 속에 위치한다.

주의사항 코와 귀에서 뇌척수 액이 발견되면 두개골 골절을 의심할 수 있으므로 사용을 금지하고, 안면 골절이 있는 환자에게도 사용하지 않는다.

부작용 무리한 삽입 시 비강 점막손상이나 출혈을 일으킬 수 있고 기도폐쇄를 유발할 수 있다.

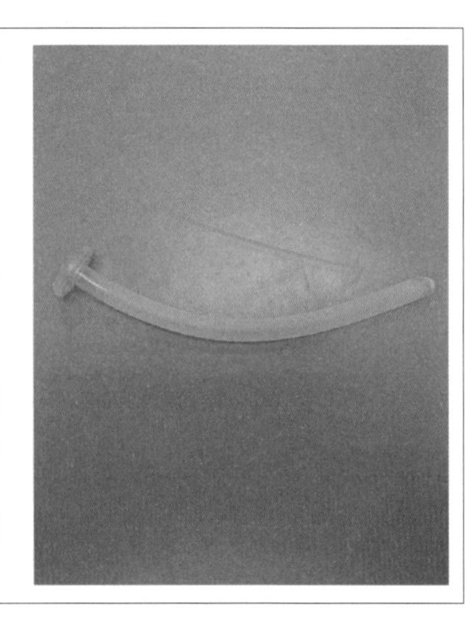

3) 후두마스크(Laryngeal mask airway, LMA)

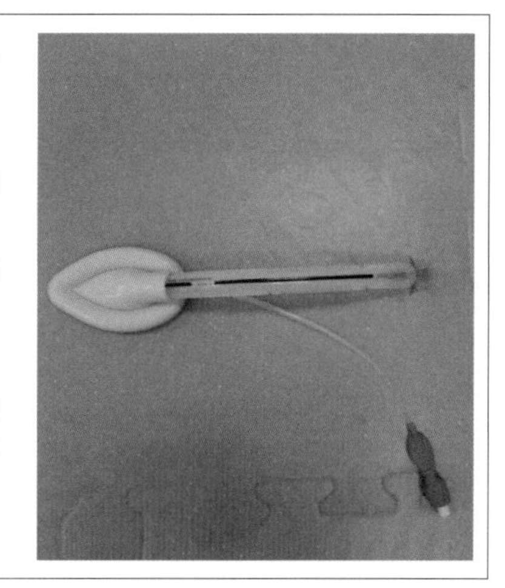

적응증 기도확보의 필요성이 있고, 의식이 없으며, 구역반사가 없는 환자의 기도유지 목적으로 적용한다.

사용방법

① 적절한 후두 마스크 기도기를 선택한 후 마스크의 공기를 빼고 수용성 윤활제를 도포한다.

② 마스크를 연구개에 밀착시켜 저항이 느껴 질까지 밀어 넣은 후 커프를 부풀린다.

③ 마스크는 후두개의 입구에서 부풀려져 환기를 시행한다.

주의사항 상부기도 손상 및 구역반사가 있는지 주의하여 삽입한다. 삽입한 후 환자가 구토를 하면 후두마스크를 그대로 둔 채 머리를 아래로 향하게 하여 흡인을 실시한다.

부작용 고정이 어려우며 폐 흡인이 발생할 수 있다.

4) 후두튜브(Layngeal tube, LT)

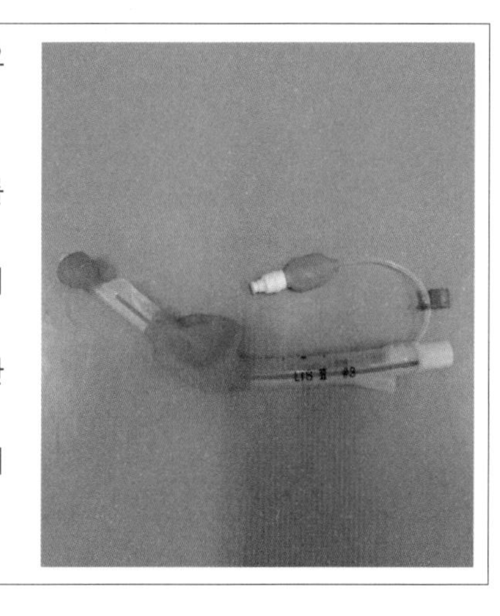

적응증 기관 내 삽관이 필요하거나, 30cmH2O 이상의 압력으로 환기가 필요한 환자의 기도유지 목적으로 적용한다.

사용방법

① 적절한 킹 후두튜브를 선택한 후 커프에 공기를 빼고 수용성 윤활제를 도포한다.

② 튜브를 잡은 반대 손으로 혀턱들기를 시행 한 후 저항이 느껴 질까지 밀어 넣은 후 커프를 부풀린다.

③ 후두튜브의 커프는 구강인두부분과 식도부분을 동시에 팽창시키고 환기는 식도부분 커프 위쪽의 환기통로를 통해 산소가 공급된다.

주의사항 삽입 전 구역반사가 없는 것을 확인하고 커프의 공기를 완전히 제거해야 한다.

부작용 고정이 어려우며 폐 흡인이 발생할 수 있다.

5) 기관 내 삽관(Intubation Set)

적응증 기도 유지가 필요하거나 인공호흡기 치료가 필요한 환자에게 적용된다.

사용방법

① 후두경을 사용하여 환자의 성문을 확인 한 후 튜브를 잡고 성문으로 삽입한다.
② 성문을 통과하면 약 1-2Cm 더 삽입하여 기관 분지부의 중간에 위치하도록 하고 커프를 팽창시킨다.
③ 양측흉부를 청진하여 정확하게 삽입되었는지 확인한다.
④ 기관 내가 아닌 식도 내로 삽관되었을 때는 빠르게 튜브를 제거하고 환자에게 충분한 산소를 제공하고 삽관을 재시도한다.

주의사항 식도삽관 시 기도폐쇄를 유발한다.

부작용 치아골절, 구강손상, 기관열상이 발생할 수 있다.

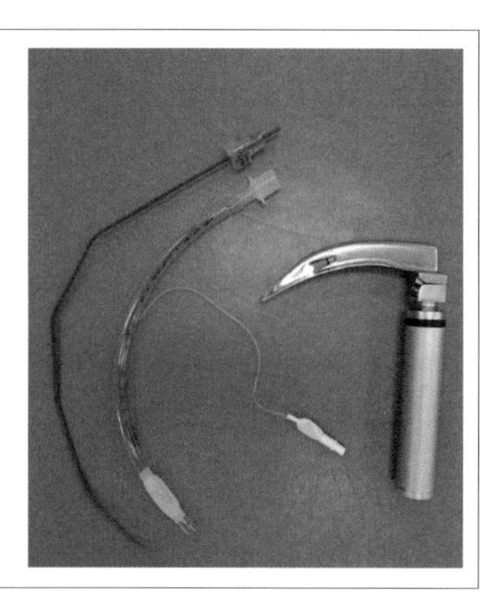

6) 충전식 흡인기(Portable suction apparatus)

적응증 비강 또는 구강 내 이물질, 타액, 혈액 제거 시 적용된다.

사용방법

① 수지교차 방법으로 환자의 입안을 벌리고 흡입관을 입안으로 삽입한다.
② 이물질 제거가 필요한 구강 내에 흡인관이 위치하면 흡인을 시작한다.
③ 매 흡인은 5-15초 이내로 시행한다.

주의사항 흡인기를 사용하는 동안 저산소증에 유의한다.

부작용 구토가 발생될 수 있다.

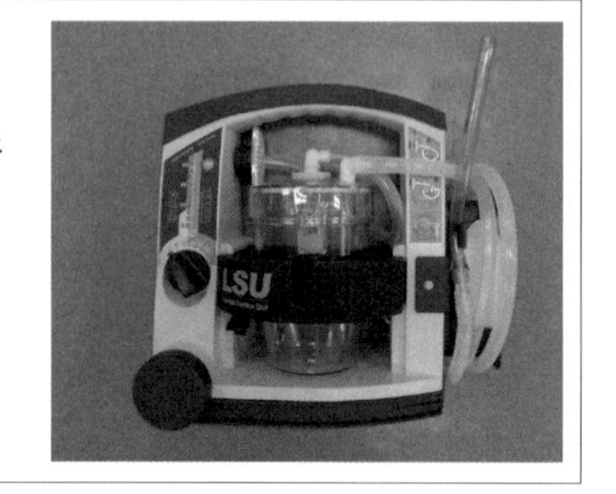

2. 호흡보조 장비

1) 비강캐뉼라(Nasal cannula)

적응증 자발호흡이 있는 환자에서 24-44%로 저농도 산소도 도움이 되는 환자에게 적용한다.

사용방법

① 2개의 돌출 된 플라스틱 관을 환자의 비강에 위치시키고 흘러내리지 않도록 귀에 걸어 고정한다.
② 산소량은 1-6L/분 이하로 투여한다.

주의사항 6L 이상 투여 시 비점막 건조 유발할 수 있다.

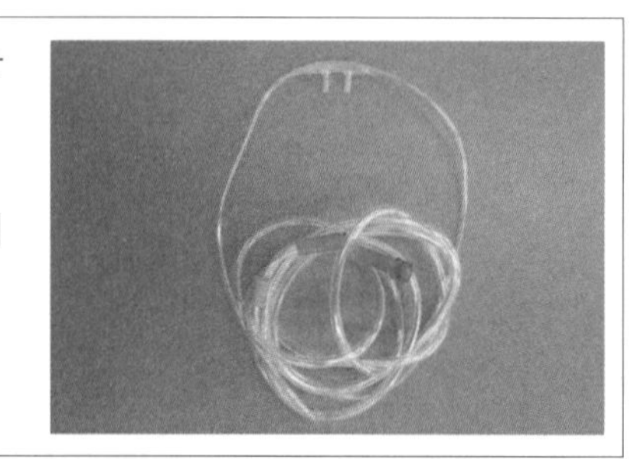

2) 안면마스크(Simple face mask)

적응증 자발호흡이 있는 환자에서 35-60%로 산소 투여 시 적용한다.

사용방법

① 적절한 안면마스크를 선택(성인용, 유아용)한 후 환자의 코와 입을 동시에 덮는다.

② 산소량은 6-10L/분으로 투여한다.

주의사항 얼굴에 완전히 밀착되지 않으면 적절한 산소가 공급되지 않는다.

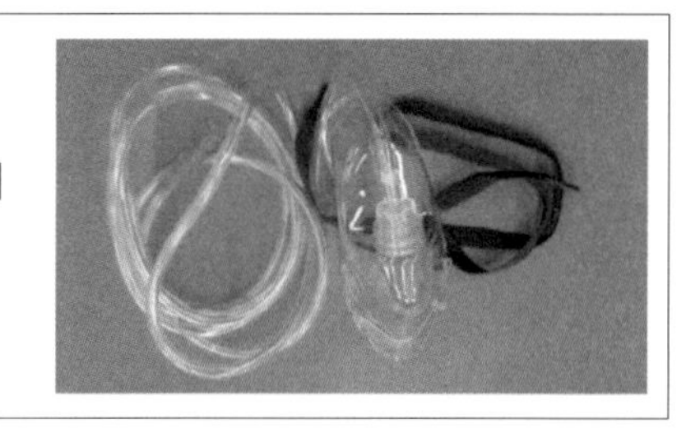

3) 비재호흡 마스크(Nonrebreather mask)

적응증 자발호흡이 있는 환자에서 80~95%로 고농도 산소가 필요한 환자에게 적용한다.

사용방법

① 저장낭을 충분히 부풀린 후 환자의 코와 입을 동시에 덮는다.

② 산소량은 10-15 L/분으로 투여한다.

주의사항 무호흡이나 호흡능력이 약한 환자에게 사용을 금한다.

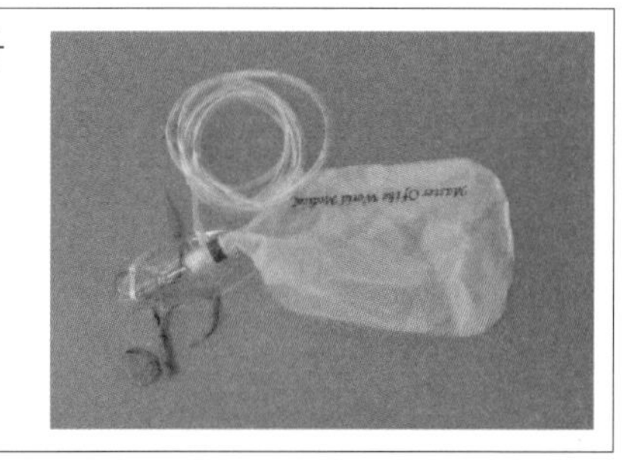

4) 벤트리 마스크(Venturi mask)

적응증 저산소성 호흡작용이 있는 환자에서 24, 28, 31, 35, 40, 50%로 정확한 흡입산소농도를 제공할 때 적용한다.

사용방법

① 투여하려는 특정한 농도에 맞도록 공급배관을 조절한 후 환자의 코와 입을 동시에 덮는다.

② 산소량은 2-8 L/분으로 투여한다.

주의사항 만성폐쇄성폐질환(COPD) 환자에게 유용하다.

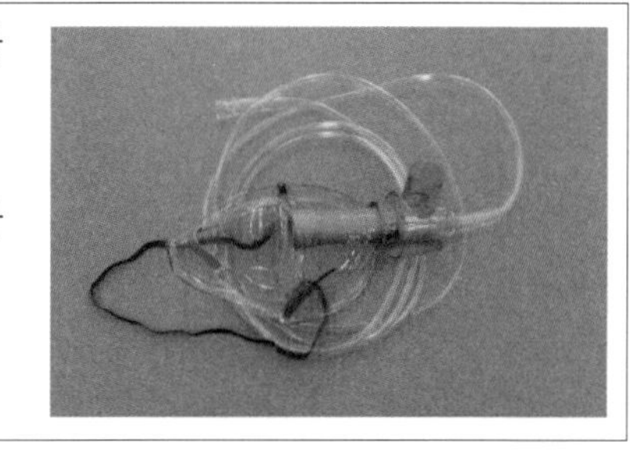

5) 포켓마스크(Pocket mask)

적응증 자발호흡이 없는 환자에서 직접적인 접촉을 피하고 인공호흡을 제공 시 적용한다.

사용방법

① 각진 부위가 코에 위치되어 환자의 얼굴에 밀착한다.

② 구조자의 호기를 불어 넣어 가슴이 부풀어 오름을 확인한다.

③ 마스크에 위치한 연결관을 통해 분당 10 L의 산소량으로 50%, 분당 15 L의 산소량으로 55% 산소농도를 공급할 수 있다.

주의사항 환자의 얼굴에 정확한 방법으로 밀착하여 사용해야 하고, 구조자의 과도한 호흡은 폐의 과팽창이나 위의 팽만을 유발할 수 있다.

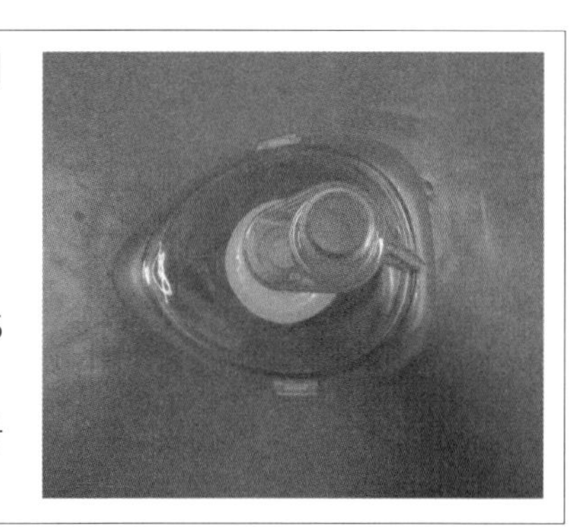

6) 백밸브 마스크(Bag valve mask)

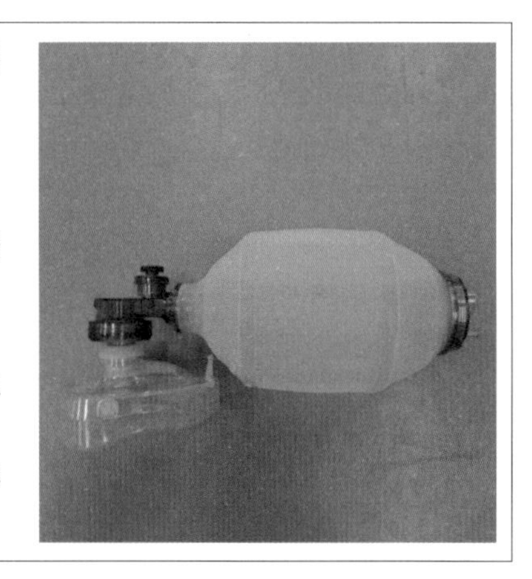

적응증 호흡이 없거나 자발호흡이 어려운 환자에서 수동으로 양압환기를 제공 시 적용한다.

사용방법

① 마스크와 백밸브를 연결한 후 각진 부위가 코에 위치하도록 밀착한다.
② 엄지와 검지로 C자 모양으로 누르고 나머지 세 손가락으로 E자 형태를 만들어 하악을 거상시킨다.
③ 반대 손으로 백을 잡고 5초에 1회씩 500 ml로 환기시킨다.
④ 산소 연결관을 통해 10-15 L/분 투여 시 40-50%, 저장낭이 연결되고 10-15 L/분 투여 시 85-100% 산소가 투여된다.

주의사항 마스크의 밀착 정도에 따라 제공되는 호흡량이 달라질 수 있고 부절적한 환기나 위의 팽만 등을 유발할 수 있다.

3. 심장박동회복 장비

1) 자동심장충격기(Automated external defibrillator, AED)

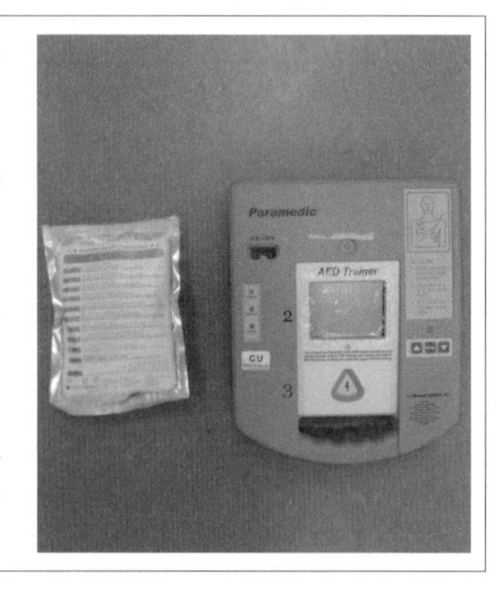

적응증 반응과 정상적인 호흡이 없는 심정지 환자의 심장리듬 분석을 위해 적용한다.

사용방법

① 자동제세동기를 전원을 킨 후 환자의 우측 쇄골하부와 좌측 유두바깥쪽 아래의 겨드랑이 중앙선에 제세동 패트를 부착한다.
② 심전도 분석이 이루어지는 동안 환자와 접촉하지 않는다.
③ 제세동이 필요하다는 음성 지시가 나오면 환자와 모두 떨어졌는지 재차 확인한다.
④ 모두 물러남을 확인하고 제세동 버튼을 눌러 전기충격을 시행한다.

주의사항 환자나 기계의 움직임이 많은 장소에서 사용할 경우 주의가 필요하며 제세동 시행 시 감전의 우려가 있으므로 구조자는 물론 주위 사람들의 접촉을 피해야 한다.

4. 이송장비

1) 주 들것(Main stretcher)

적응증 환자를 이송할 때 구급차 내로 환자를 싣고 내리는 데 적용한다.

사용방법

① 환자를 들것에 올린 후 환자의 발쪽이 진행방향으로 구조자는 머리 쪽에 위치한다.

② 구급차에 넣을 때는 환자의 머리가 앞으로 향하도록 한다.

③ 이동 시 들것이 접혀 환자가 충격받지 않도록 하며 구급차로 옮긴 후에는 구급차에 들것을 정확히 고정한다.

주의사항 들것을 구급차 밖으로 내릴 때 들것의 다리가 완전히 펴진 것을 확인해야 한다.

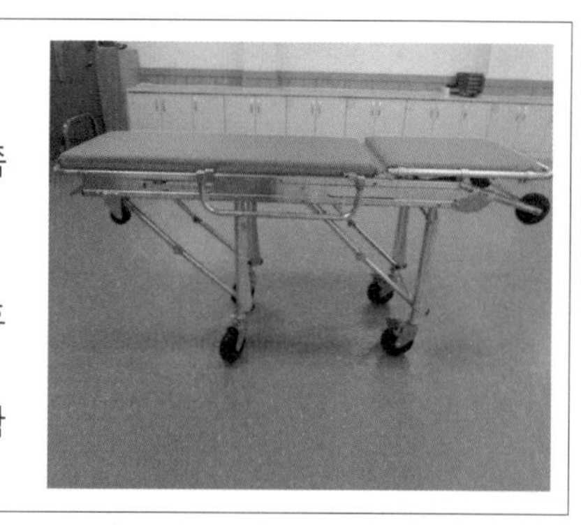

2) 분리형 들것(Scoop stretcher)

적응증 현장에서 환자의 체위 변경 없이 구급차 내로 옮겨야 할 경우 적용한다.

사용방법

① 환자와 들것이 일직선이 되도록 위치시킨 후 환자의 키에 맞도록 길이를 조절한다.

② 두 명의 구조자가 들것 양 끝의 결합버튼을 눌러 들것을 분리한다.

③ 들것을 환자 양 측면에서 환자 등 아래쪽으로 조심히 넣는다.

④ 들것의 양쪽 끝을 맞춘 후 결합버튼을 결합하고 고정벨트를 채워준다.

주의사항 척추 손상 환자의 경우 사용을 금지하고, 알루미늄 재질일 경우 환자의 체온 저하에 유의한다.

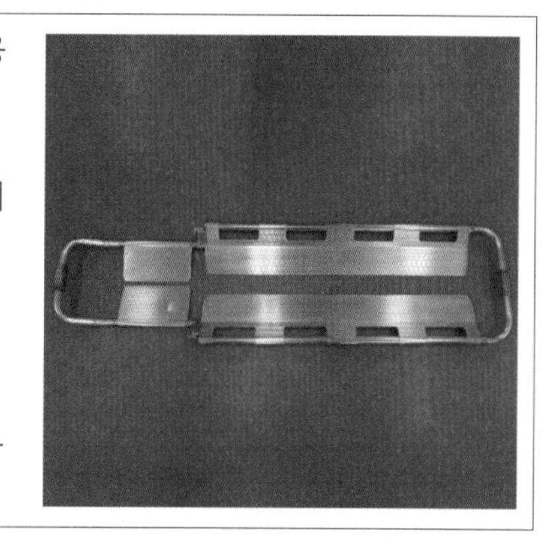

3) 바구니 들것(Basket stretcher)

적응증 산악이나 수상, 공사현장 등 열악한 환경에서 환자를 수평, 수직 구조작업이나 헬기이송 시 적용한다.

사용방법

① 환자를 들것에 위치시킨 후 빈 공간은 담요나 시트 등으로 채워 고정하여 움직임을 최소화한다.

② 척추 손상이 의심되는 경우 들것을 안전하게 로프로 연결하여 수평을 유지하면서 이동한다.

주의사항 척추손상환자에서 수직구조 시 척추에 무리가 갈 수 있다.

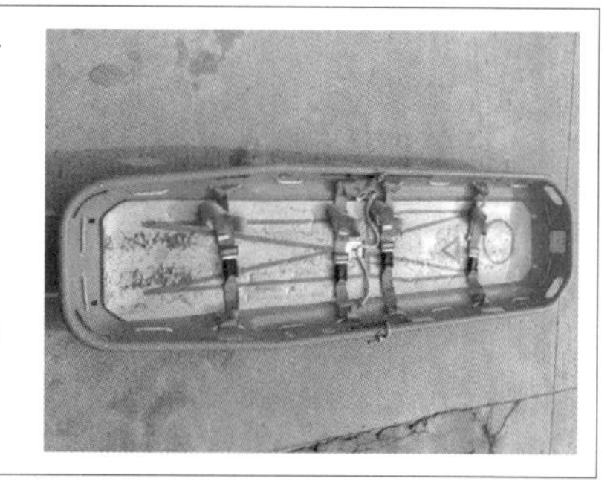

4) 가변형 들것(Flexible stretcher)

적응증 연성 있는 장비로 제한된 공간에서 환자를 구출할 때 적용한다.

사용방법

① 유연한 재질로 제작되어 좁은 계단에서 사용한다.

② 들것의 주머니 사이로 얇은 판자나 긴 척추고정판을 넣어서 사용이 가능하고 머리고정 장비로 고정할 수 있어 척주손상 환자에게 사용 가능하다.

주의사항 들것 단독 사용 시 척추고정이 어렵다.

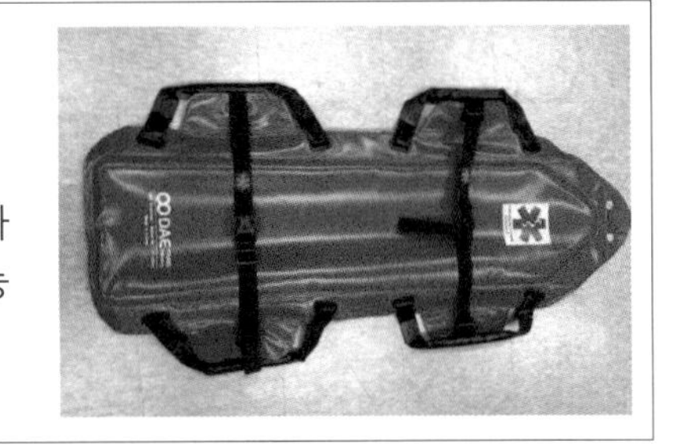

5) 접이식 들것(Folding stretcher)

적응증 접어서 보관하며 환자 발생 시 신속하게 적용한다.

사용방법

① 다수의 환자 발생 시 환자를 빠르게 이동해야 할 때 사용한다.

② 접어서 보관하거나 휴대할 수 있고 가벼워 환자에게 빠른 접근이 가능하다.

주의사항 척추고정 및 머리고정이 어려워 환자의 부상정도에 따라 주의해 사용한다.

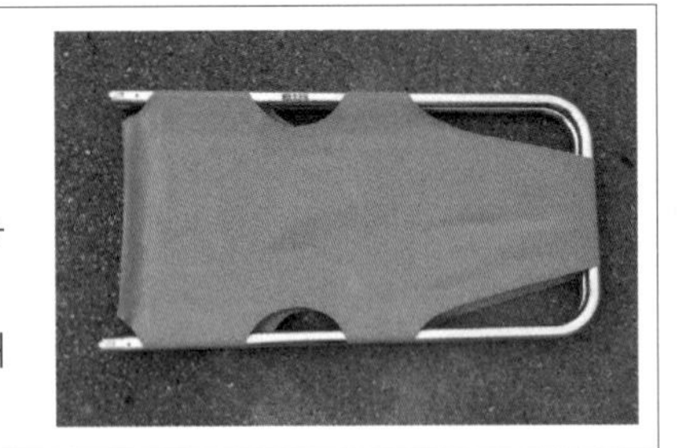

6) 의자형 들것(Stair chairs)

적응증 엘리베이터가 없는 계단에서 환자를 앉은 자세로 구급차 내로 이동 시 적용한다.

사용방법

① 환자는 앉은 채로 이동이 가능하며 환자의 양손은 가슴에 두도록 한다.

② 수직으로 힘을 주면 들것의 바퀴를 통해 이동하면서 계단을 내려온다.

주의사항 모든 벨트의 조임을 확인해야 하며 척추손상이나 기도유지를 못하는 환자에게 사용해서는 안 된다.

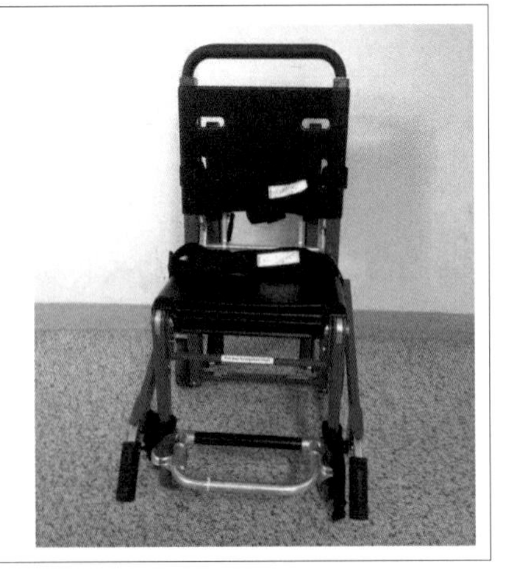

5. 외상처치 장비

1) 목뼈 보호대(Cervical collar)

적응증 각종 외상이나 척추손상이 의심되는 경우에 목의 굽힘이나 폄, 좌우 움직임을 제한할 필요가 있을 때 적용한다.

사용방법

① 환자의 시선이 정면을 주시하게 하고 두부를 고정한 다음, 턱 끝에서 복장 뼈 절흔까지의 길이를 측정하여 적절한 목뼈 보호대를 선택한다.

② 목뼈 보호대 형태를 조립한 후 머리와 목의 움직임을 제한하면서 착용시킨다.

주의사항 목뼈 보호대로는 완전한 목뼈 고정이 되지 않으므로 동시에 머리 고정대를 시행해야 한다.

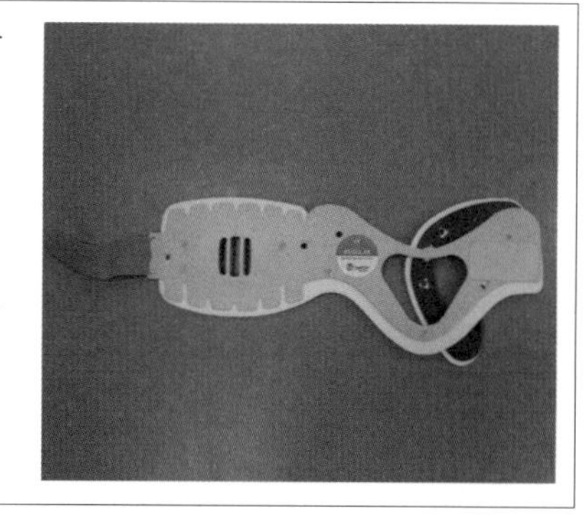

2) 머리 고정장비(Head immobilizer)

적응증 두부를 움직이지 않도록 고정하여 중추신경계나 그 밖에 2차 손상을 방지할 필요가 있는 외상환자의 기도유지에 적용한다.

사용방법

① 긴 척추고정대에 머리고정판을 설치한 후 환자의 머리가 머리 고정판의 중심에 오도록 한다.

② 환자 머리의 양측에 머리 고정대를 하나씩 위치시킨 후 이마와 아래 끈을 부착시켜 머리가 움직이지 않도록 한다.

주의사항 분리형 들것에도 부착하여 사용할 수 있도록 한쪽 면이 경사지게 되어 있으나 완전한 고정이 이루어져야 하고 머리고정대의 구멍난 부분으로 환자의 귀부분에서 혈액이나 체액이 흐르는지를 확인하며 사용한다.

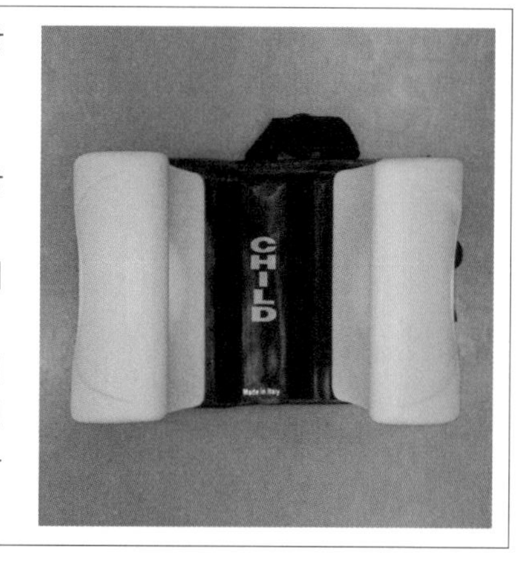

3) 구출고정장치(Kendricks extrication device, KED)

적응증 자동차 사고나 협소한 공간에서의 사고와 같이 환자가 주로 앉아 있는 경우 환자의 목뼈와 척추를 보호할 때 적용한다.

사용방법

① 구출고정대를 환자의 등 뒤로 조심스럽게 삽입한 후 중앙에 삽입 시 몸통 고정끈을 이용하여 중앙, 하단, 상단 순으로 연결하여 조인다.

② 양쪽 대퇴부위에 패드를 적용한 후 연결끈을 조인 후 환자의 머리에 적정한 양의 패드를 대고 머리를 고정한다.

③ 척추의 정열을 유지한 채 긴 척추고정판으로 환자를 옮긴다.

주의사항 과도한 몸통 조임은 호흡곤란, 복부손상을 유발한다.

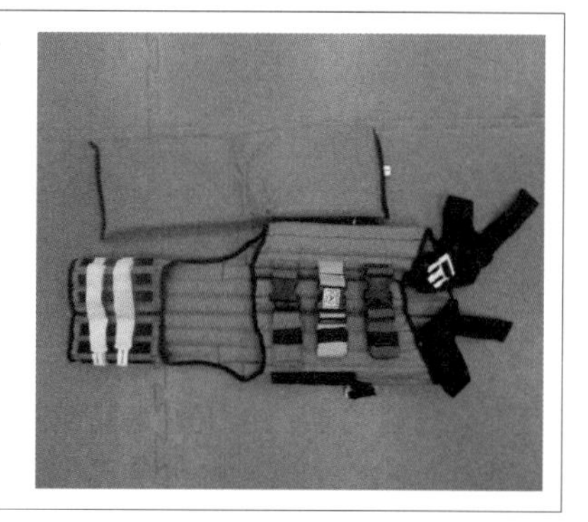

4) 긴 척추고정판(Long spine board)

적응증 척추손상이 의심되는 환자의 추가 손상을 방지하며 이송할 때 적용한다.

사용방법

① 통나무굴리기 방법으로 환자를 옆으로 이동하고 들것 위에 눕힌다.

② 중립위치를 확인 한 후 가슴, 배, 다리, 고정끈을 이용하여 결착한다.

주의사항 긴 척추고정판과 환자사이에 빈 공간은 패드로 고정한다.

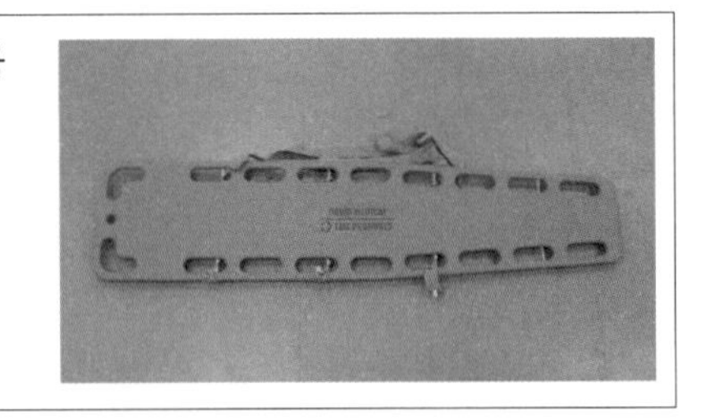

5) 패드부목(Frac immobilizer)

적응증 사지 골절이 의심되는 환자에게 손상부위 고정 시 적용한다.

사용방법

① 환자의 신체적 조건, 골절부위, 골절 정도에 따라 대, 중, 소를 선택하여 적용 준비를 한다.

② 손상부위에 적절한 부목을 적용한 후 벨크로를 고정한다.

주의사항 굵기가 다른 신체부위에 적용할 때 가는 부위에 패드나 붕대 등을 넣어 손상부위의 움직임을 최소화한다(부목을 착용한 채로 X-ray 검사가 가능하다).

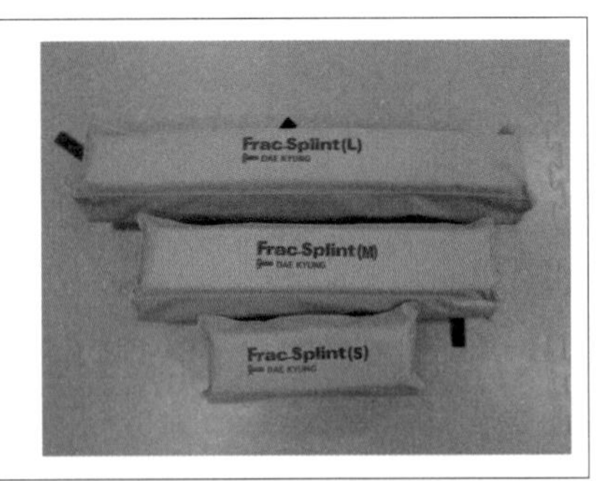

6) 공기부목(Air splint)

적응증 골절이나 경미한 외부출혈의 지혈, 손상부위 관찰이 필요한 경우 적용한다.

사용방법

① 상처가 있는 부위는 소독 거즈로 덮은 후 공기부목을 펼쳐 손상부위에 적용한다.

② 지퍼를 잠그고 공기를 불어 넣어 적정량을 팽창시킨다.

주의사항 외부온도와 압력변화에 따라 부목의 공기량이 변할 수 있으므로 관찰이 필요하다.

✚ 참고문헌

김진우, 유인술, 홍성엽, 신동민, 박세훈 외 공역, "전문응급구조사를 위한 기도관리", 메디컬코리아(2012년)

연세대학교 원주의과대학 응급의학교실, "응급구조와 응급처치 8th Editidn" 군자출판사(2016년)

이근 외 옮김, "MOSBY'S 전문 응급구조학II", 군자출판사(2012년)

서울대학교의과대학 의학연수원, "새로 쓴 응급처치, 진단과 치료", 서울대학교출판문화원(2014년)

1·2급 응급구조사를 위한

임상실습기록지

PART 03

의학용어

응급의료에 관한 법률

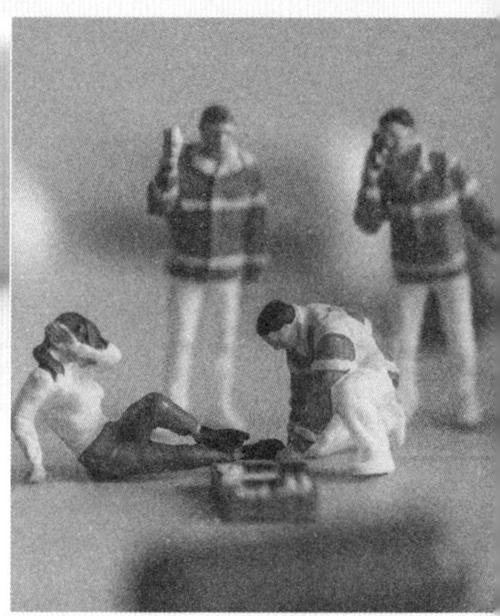

CHAPTER 01 의학용어

약어

약어	용어	의미	약어	용어	의미
EM	emergency medicine	응급의학과	**Med, IM**	internal medicine	내과
CS	chest surgery	흉부외과	**NR**	neurology	신경과
NS	neuro surgery	신경외과	**NP**	neuro psychiatry	신경정신과
GS	general surgery	일반외과	**ENT**	ear nose throat	이비인후과
PS	plastic surgery	성형외과	**Der, DM**	dermatology	피부과
OS	orthopedic surgery	정형외과	**PMR**	physical medicine & rehabilitation	재활의학과
OB&GY	obstetrics&gynecology	산과&부인과	**PED**	pediatry	소아청소년과
URO	urology	비뇨기과	**RAD**	radiology	영상의학과
OPH	ophthalmology	안과	**DENT**	dentistry	치과

1. 순환계통

1) 진단용어

용어	의미	용어	의미
aneurysm	동맥류, 자루, 꽈리	angina pectoris	협심증
thrombosis	혈전증	aortic dissection	대동맥박리증
embolism	색전증	ventricular fibrillation	심실세동, 심실잔떨림
infarction	경색증	paroxysmal ventricular tachycardia	발작성 심실빈맥
atherosclerosis	죽상경화증, 죽경화증		

2) 증상·징후 용어

용어	의미	용어	의미
arrhythmia	부정맥	palpitation	두근거림
tachycardia	빠른맥, 빈맥	cyanosis	청색증
bradycardia	느린맥, 서맥	hypoxia	저산소증
cardiac arrest	심장정지	hypertension(HTN)	고혈압
chest pain	가슴통증, 흉통	hypotension	저혈압

2. 호흡계통

1) 진단용어

용어	의미	용어	의미
epiglottitis	후두개염	pneumonia	폐렴
URI, upper respiratory infection	상기도 감염	pulmonary tuberculosis(TB)	폐결핵
common cold	감기	COPD, chronic obstructive pulmonary disease	만성폐쇄성 폐질환
asthma	천식	hemothorax	혈흉, 혈액가슴
emphysema	폐기종	pneumothorax	기흉, 공기가슴증

2) 증상·징후 용어

용어	의미	용어	의미
dyspnea	호흡곤란	sputum	가래
apnea	무호흡	cough	기침
hyperventilation	과다환기, 과호흡	aspiration	흡인
epistaxis	코피, 비출혈	asphyxia	질식
hemoptysis	객혈	dysphagia	연하곤란

3. 소화계통

1) 진단용어

용어	의미	용어	의미
tonsillitis	편도염	appendicitis	충수염, 막창자꼬리염
esophageal varix	식도정맥류	peritonitis	복막염, 배막염
gastroesophageal reflux, GERD	위식도 역류	liver cirrhosis	간경화증, 간병변증
gastritis	위염	ileus	창자막힘증, 장폐쇄증
gastric ulcer	위궤양	hepatitis	간염
herniation, hernia	탈장	hemoperitoneum	혈복증, 복강내출혈

2) 증상·징후 용어

용어	의미	용어	의미
ascites	복수	hematemesis	토혈, 혈액구토
abdominal pain	복통, 배앓이	hyperglycemia	고혈당(증)
colic	산통, 급통증	hypoglycemia	저혈당(증)
diarrhea	설사	melena	흑색변
epigastric pain	명치통증	hematochezia	혈변
nausea	구역, 욕지기	vomiting	구토

4. 신경계통

1) 진단용어

용어	의미	용어	의미
encephalitis	뇌염	cerebral infarction	뇌경색증
meningitis	수막염	dementia	치매
herpes zoster	대상포진	epilepsy	간질
stroke	뇌졸중	Bell's palsy	벨마비, 안면신경마비
transient ischemia attack, TIA	일과성허혈발작	grand mal seizure	대발작경련
cerebral hemorrhage	뇌출혈	hemangioma	혈관종

2) 증상·징후 용어

용어	의미	용어	의미
aphasia	언어상실증, 실어증	coma	혼수
aura	조짐	weakness	허약
hemiplegia	편마비, 반신마비	headache	두통
paresis	불완전마비	migraine	편두통
syncope	실신	convulsion	경련, 발작
stupor	혼미	tremor	떨림, 진전

5. 근골계통

1) 진단용어

용어	의미	용어	의미
open fracture	개방골절	arthritis	관절염
colles' fracture	콜리스 골절	gout	통풍
dislocation	어긋남, 탈구, 전위, 이탈	sprain	삠, 염좌
compression fracture	압박골절	strain	긴장, 과도긴장, 염좌
muscle tearning	근육파열	osteoporosis	골다공증

2) 증상·징후 용어

용어	의미	용어	의미
lumbago	허리통증, 요통	deformity	변형
crepitation	비빔소리	spasm	연축
myalgia	근육통	cramp	통증성 근육경련
swelling	부종	redness	발적

6. 피부계통

1) 진단용어

용어	의미	용어	의미
scar	흉터	urticaria	두드러기
burn	화상	herpes simplex	단순포진, 단순헤르페스
dermatitis	피부염	scabies	옴
cyst	낭, 주머니	bulla	물집

2) 증상·징후 용어

용어	의미	용어	의미
ecchymosis	반상출혈, 얼룩출혈	rash	발진
cicatrix	흉터	eruption	발진
crust	딱지	itch	가려움증

7. 내분비계통

1) 진단용어

용어	의미	용어	의미
hyperthyroidism	갑상샘(선)항진증	hypothyroidism	갑상샘(선)저하증
DM, diabetes mellitus	당뇨병	diabetic ketoacidosis	당뇨병케톤산증
insulin-dependent diabetes	인슐린의존당뇨병	non-insulin-dependent diabetes	비인슐린의존당뇨병

2) 증상·징후 용어

용어	의미	용어	의미
hyperglycemia	고혈당증	hypoglycemia	저혈당(증)
moon face	달덩이얼굴	exophthalmos	눈알돌출, 안구돌출

8. 비뇨계통·생식계통

1) 진단용어

용어	의미	용어	의미
cystitis	방광염	ovarian cyst	난소낭, 난소물혹
pyelonephritis	신우신염	abortion	유산
ureter stone	요로결석	syphilis	매독
PID, pelvic inflammatory disease	골반내염증성질환	DUB, dysfunctional tertine bleeding	기능장애자궁출혈
nephritis	신장염	prostate cancer	전립샘(전립선)암

2) 증상·징후 용어

용어	의미	용어	의미
colic	급통증, 산통	dysmenorrhea	월경통
dysuria	배뇨통, 배뇨장애	vaginal bleeding	질출혈
urinary frequency	빈뇨	anuria	무뇨
hematuria	혈뇨	polyuria	다뇨

CHAPTER 02 응급의료에 관한 법률

제 1장 총칙

제1조(목적)

이 법은 국민들이 응급상황에서 신속하고 적절한 응급의료를 받을 수 있도록 **응급의료에 관한 국민의 권리와 의무, 국가·지방자치단체의 책임, 응급의료제공자의 책임과 권리**를 정하고 응급의료자원의 효율적 관리에 필요한 사항을 규정함으로써 **응급환자의 생명과 건강을 보호하고 국민의료를 적정**하게 함을 목적으로 한다.

제2조(정의)

이 법에서 사용하는 용어의 뜻은 다음과 같다.

1. **"응급환자"**란 **질병, 분만, 각종 사고 및 재해로 인한 부상이나 그 밖의 위급한 상태**로 인하여 즉시 필요한 응급처치를 받지 아니하면 생명을 보존할 수 없거나 심신에 중대한 위해(危害)가 발생할 가능성이 있는 환자 또는 이에 준하는 사람으로서 **보건복지부령**으로 정하는 사람을 말한다.
2. **"응급의료"**란 응급환자가 발생한 때부터 생명의 위험에서 회복되거나 심신상의 중대한 위해가 제거되기까지의 과정에서 응급환자를 위하여 하는 **상담·구조·이송·응급처치 및 진료** 등의 조치를 말한다.
3. **"응급처치"**란 **응급의료행위의 하나**로서 응급환자의 기도를 확보하고 심장박동의 회복, 그 밖에 생명의 위험이나 증상의 현저한 악화를 방지하기 위하여 긴급히 필요로 하는 처치를 말한다.
4. **"응급의료종사자"**란 관계 법령에서 정하는 바에 따라 취득한 면허 또는 자격의 범위에서 응급환자에 대한 **응급의료를 제공하는 의료인과 응급구조사**를 말한다.
5. **"응급의료기관"**이란 「의료법」 제3조에 따른 의료기관 중에서 이 법에 따라 지정된 **중앙응급의료센터, 권역응급의료센터, 전문응급의료센터, 지역응급의료센터 및 지역응급의료기관**을 말한다.
6. **"구급차등"**이란 응급환자의 이송 등 응급의료의 목적에 이용되는 자동차, 선박 및 항공기 등의 이송수단을 말한다.
7. **"응급의료기관등"**이란 응급의료기관, 구급차등의 운용자 및 응급의료정보센터를 말한다.
8. **"응급환자이송업"**이란 구급차등을 이용하여 응급환자 등을 이송하는 업(業)을 말한다.

제 7장 응급구조사

제36조(응급구조사의 자격)

① 응급구조사는 업무의 범위에 따라 **1급 응급구조사**와 **2급 응급구조사**로 구분한다.

② **1급 응급구조사**가 되려는 사람은 다음 각 호의 어느 하나에 해당하는 사람으로서 보건복지부장관이 실시하는 시험에 합격한 후 **보건복지부장관**의 자격인정을 받아야 한다.

1. 대학 또는 전문대학에서 응급구조학을 전공하고 졸업한 사람
2. 보건복지부장관이 인정하는 외국의 응급구조사 자격인정을 받은 사람
3. 2급 응급구조사로서 응급구조사의 업무에 3년 이상 종사한 사람

③ **2급 응급구조사**가 되려는 사람은 다음 각 호의 어느 하나에 해당하는 사람으로서 보건복지부장관이 실시하는 시험에 합격한 후 **보건복지부장관**의 자격인정을 받아야 한다.
1. 보건복지부장관이 지정하는 **응급구조사 양성기관**에서 대통령령으로 정하는 양성과정을 마친 사람
2. 보건복지부장관이 인정하는 외국의 응급구조사 자격인정을 받은 사람

④ 보건복지부장관은 제2항과 제3항에 따른 응급구조사시험의 실시에 관한 업무를 대통령령으로 정하는 바에 따라 「한국보건의료인국가시험원법」에 따른 한국보건의료인국가시험원에 위탁할 수 있다.

⑤ 1급 응급구조사 및 2급 응급구조사의 시험과목, 시험방법 및 자격인정에 관하여 필요한 사항은 **보건복지부령**으로 정한다.

[시행령] 제25조(응급구조사의 양성과정)

① 법 제36조제3항제1호의 규정에 의한 **응급구조사 양성과정은 강의·실습 및 실무수습과정**으로 구분하고, 각 과정에 따른 교육과목 및 시간은 보건복지부령으로 정한다.

② 제1항의 규정에 의한 양성과정을 이수할 수 있는 자는 「초·중등교육법」 제2조제4호의 규정에 의한 **고등학교 졸업자**(당해 연도 졸업예정자를 포함한다) 또는 이와 동등 이상의 학력이 있는 자로 한다.

③ 양성기관의 장은 보건복지부령이 정하는 바에 따라 양성과정을 이수중인 자의 학력·경력 및 자격에 따라 제1항의 규정에 의한 교육과목 및 시간의 일부를 감면하여 실시할 수 있다.

[시행규칙] 제25조(응급구조사의 양성과정)

① 영 제25조제1항의 규정에 의한 응급구조사 양성과정의 교육과목 및 시간은 별표 11과 같다.

② 응급구조사양성기관의 장은 영 제25조제3항에 따라 다음 각 호의 어느 하나에 해당하는 자에 대하여 별표 11의 교육과목 중 **구급차 동승실습을 감면**할 수 있다.
1. 「소방기본법」 제35조에 따른 **구급대의 대원으로 1년 이상 근무한 자**
2. 법 제44조의 규정에 의한 **구급차등을 운용하는 자에 소속되고, 구급차등에 탑승하여 1년 이상 응급의료 활동에 참여하거나 보조한 자**
3. 300시간 이상 인명의 구조·구급활동에 참여한 경력을 가진 자원봉사자로서 시·도지사로부터 인정을 받은 자

[시행규칙] 제26조(응급구조사 시험의 범위 및 과목 등)

① 법 제36조제5항의 규정에 의한 응급구조사 시험은 **필기시험 및 실기시험**으로 구분하여 별표 12의 시험과목과 시험방법으로 실시한다.

② 제1항의 규정에 의한 응급구조사 시험의 합격자 결정은 **필기시험의 매 과목 40퍼센트 이상**을 득점하고, 실기시험에 합격한 자중 **전 과목 총점의 60퍼센트 이상을 득점한 자를 합격자**로 한다.

[별표 12] 응급구조사 시험의 시험과목과 시험방법

1. 필기시험의 시험과목

구 분	과 목
1급 응급구조사	기초의학, 전문응급처치학총론, 전문응급처치학각론, 응급의료관련법령, 응급환자관리
2급 응급구조사	기본응급처치학총론, 기본응급처치학각론, 응급의료관련법령, 응급의료장비, 기본응급환자관리

2. 실기시험의 시험방법

실기시험은 응급구조사의 업무에 필요한 기능을 보건복지부장관이 정하는 방법에 따라 실시한다.

제37조(결격사유)

다음 각 호의 어느 하나에 해당하는 사람은 응급구조사가 될 수 없다.
1. 「정신보건법」 제3조제1호에 따른 **정신질환자**. 다만, 전문의가 응급구조사로서 적합하다고 인정하는 사람은 그러하지 아니하다.
2. **마약·대마 또는 향정신성의약품 중독자**
3. **피성견후견인·피한정후견인**
4. 다음 각 목의 어느 하나에 해당하는 법률을 위반하여 **금고 이상의 실형을 선고받고 그 집행이 끝나지 아니하거나 면제되지 아니한 사람**
   가. 이 법
   나. 「형법」 제233조, 제234조, 제268조(의료과실만 해당한다), 제269조, 제270조제1항부터 제3항까지, 제317조제1항
   다. 「보건범죄 단속에 관한 특별조치법」, 「지역보건법」, 「국민건강증진법」, 「후천성면역결핍증 예방법」, 「의료법」, 「의료기사 등에 관한 법률」, 「시체해부 및 보존에 관한 법률」, 「혈액관리법」, 「마약류 관리에 관한 법률」, 「모자보건법」, 「국민건강보험법」

제38조(부정행위에 대한 제재)

① 부정한 방법으로 응급구조사 시험에 응시한 사람 또는 응급구조사 시험에서 부정행위를 한 사람에 대하여는 그 수험을 정지시키거나 합격을 무효로 한다.
② 제1항에 따라 수험이 정지되거나 합격이 무효로 된 사람은 그 처분이 있은 날부터 **2년간** 응급구조사 시험에 응시할 수 없다.

제39조(응급구조사의 준수 사항)

응급구조사는 응급환자의 안전을 위하여 그 업무를 수행할 때 응급처치에 필요한 의료장비, 무선통신장비 및 구급의약품의 관리·운용과 응급구조사의 복장·표시 등 응급환자 이송·처치에 필요한 사항에 대하여 보건복지부령으로 정하는 사항을 지켜야 한다.
[벌칙] 300만원 이하의 과태료

[시행규칙] 제32조(응급구조사의 준수사항)

법 제39조의 규정에 의한 응급구조사의 준수사항은 별표 13과 같다.

[별표 13] 응급구조사의 준수사항

1. 구급차내의 장비는 항상 사용할 수 있도록 점검하여야 하며, 장비에 이상이 있을 때에는 지체없이 정비하거나 교체하여야 한다.
2. 환자의 응급처치에 사용한 의료용 소모품이나 비품은 소속기관으로 귀환하는 즉시 보충하여야 하며, 유효기간이 지난 의약품 등이 보관되지 아니하도록 하여야 한다.
3. 구급차의 무선장비는 매일 점검하여 통화가 가능한 상태로 유지하여야 하며, 출동할 때부터 귀환할 때까지 무선을 개방하여야 한다.
4. 응급환자를 구급차에 탑승시킨 이후에는 가급적 경보기를 울리지 아니하고 이동하여야 한다.
5. 응급구조사는 구급차 탑승시 응급구조사의 신분을 알 수 있도록 소속, 성명, 해당자격 등을 기재한 아래 표식을 상의 가슴에 부착하여야 한다.

제40조(비밀 준수 의무)

응급구조사는 직무상 알게 된 비밀을 누설하거나 공개하여서는 아니 된다.
[벌칙] 3년 이하의 징역 또는 1천만원이하의 벌금

제41조(응급구조사의 업무)

응급구조사는 응급환자가 발생한 현장에서 응급환자에 대하여 상담·구조 및 이송 업무를 수행하며, 「의료법」 제27조의 무면허 의료행위 금지 규정에도 불구하고 보건복지부령으로 정하는 범위에서 현장에 있거나 이송 중이거나 의료기관 안에 있을 때에는 응급처치의 업무에 종사할 수 있다.
[벌칙] 5년 이하의 징역 또는 3천만원이하의 벌금

시행규칙] 제33조(응급구조사의 업무)

법 제41조의 규정에 의한 응급구조사의 업무범위는 별표 14와 같다.

[별표 14] 응급구조사의 업무범위

구분	업무범위
1급 응급구조사	가. 심폐소생술의 시행을 위한 기도유지(기도기(airway)의 삽입, 기도삽관(intubation), 후두마스크 삽관 등을 포함한다) 나. 정맥로의 확보 다. 인공호흡기를 이용한 호흡의 유지 라. 약물투여 : 저혈당성 혼수시 포도당의 주입, 흉통시 니트로글리세린의 혀아래(설하) 투여, 쇼크시 일정량의 수액투여, 천식발작시 기관지확장제 흡입 마. 제2호의 규정에 의한 2급 응급구조사의 업무
2급 응급구조사	가. 구강내 이물질의 제거 나. 기도기(airway)를 이용한 기도유지 다. 기본 심폐소생술 라. 산소투여 마. 부목·척추고정기·공기 등을 이용한 사지 및 척추 등의 고정 바. 외부출혈의 지혈 및 창상의 응급처치 사. 심박·체온 및 혈압 등의 측정 아. 쇼크방지용 하의 등을 이용한 혈압의 유지 자. 자동제세동기를 이용한 규칙적 심박동의 유도 차. 흉통시 니트로글리세린의 혀아래(설하) 투여 및 천식발작시 기관지확장제 흡입(환자가 해당약물을 휴대하고 있는 경우에 한함)

제41조의2(응급구조사 업무지침의 개발 및 보급)

① **보건복지부장관**은 응급구조사 업무의 체계적·전문적 관리를 위하여 보건복지부령으로 정하는 절차·내용·방법에 따라 **응급구조사 업무지침을 작성하여 보급**하여야 한다.
② 응급구조사는 제41조에 따른 업무를 수행할 때 제1항에 따른 업무지침을 활용하여야 한다.

제42조(업무의 제한)

응급구조사는 의사로부터 구체적인 지시를 받지 아니하고는 제41조에 따른 응급처치를 하여서는 아니 된다. 다만, **보건복지부령으로 정하는 응급처치를 하는 경우와 급박한 상황에서 통신의 불능(不能) 등으로 의사의 지시를 받을 수 없는 경우**에는 그러하지 아니하다.
[벌칙] 3년 이하의 징역 또는 1천만원이하의 벌금

[시행규칙]제34조(경미한 응급처치)

법 제42조 단서의 규정에 따라 응급구조사가 의사의 지시를 받지 아니하고 행할 수 있는 응급처치의 범위는 제33조의 규정에 의한 **2급 응급구조사의 업무범위**와 같다.

제43조(응급구조사의 보수교육 등)

① **보건복지부장관**은 응급구조사의 자질향상을 위하여 필요한 보수교육을 매년 실시하여야 한다.
② 보건복지부장관은 제1항에 따른 보수교육에 관한 업무를 보건복지부령으로 정하는 관계 기관 또는 단체에 위탁할 수 있다.
③ 보건복지부장관은 제2항에 따라 보수교육에 관한 업무를 위탁하는 경우 보수교육의 실효성을 확보하기 위한 평가 및 점검을 **매년 1회 이상** 정기적으로 실시하여야 한다.
④ 제1항에 따른 보수교육의 내용·대상과 제3항에 따른 평가 및 점검에 필요한 사항은 보건복지부령으로 정한다.

제43조의2(응급구조학을 전공하는 학생의 응급처치 허용)

대학 또는 전문대학에서 **응급구조학을 전공하는 학생**은 보건복지부령으로 정하는 경우에 한하여 **의사로부터 구체적인 지시를 받아 응급처치**를 할 수 있다. 이 경우 제39조부터 제41조까지 및 제41조의2에 따른 응급구조사에 관한 규정을 준용한다.